改訂２版

これだけは知っておきたい

わかる・話せる・使える

保育のマナーと言葉

長島和代 編

石丸るみ・亀崎美沙子・木内英実

改訂２版　はじめに

自分が子どもを預けたくなる保育者とはどのような人でしょうか。私が園長在職時に、来年度のクラス担任を心配した保護者が何気なく話しかけてくる言葉を聞きながら人望のある保育者には、“なるほど”と思う共通点があります。もちろん第１は“先生のことが大好き”と子どもにいわれる保育者です。第２は保護者にも“先生のことが大好き”と信頼されている保育者です。そのような保育者は仲間の保育者の中でも人望があります。そして第３は、自分中心ではなく常に相手のことを考えている保育者です。一見、相手のことを考えているように見せながら、実は自分がよく思われたい人は、なぜか子どもや保護者にも見透かされている場合もあります。それは、考え方や行動の基本が自分のためですから、きっと気付かないうちにどこかで自分中心（自己中）的な行動を取っているのだと思います。

では、相手のことを考えて行動するということはどういうことなのでしょうか。当然、「相手を思う気持ち」が一番大切ですが、初めて出会う人などにその気持ちを伝えるためには、思いだけでは伝わらないことも多くあります。また、誤った言動はせっかくの思いも誤解されてしまいます。どんなに「相手を思う気持ち」があったとしても、相手に誤解を与えたり、不快な思いをさせてしまっては、相手を思っているとはいえず人間関係すら悪くしてしまうでしょう。

近年、携帯電話やインターネットの普及で、日常的に直接、人とかかわる経験が減っているといえます。そのため、相手を不快にさせず、相手に自分の思いを伝えるためにはどのような言動がよいのか、経験的に学ぶ機会も少なくなっているように思います。

保育者をめざすみなさんには、相手を中心に考え行動できる、そしてそれを正しく伝えられる保育者になってほしいと思います。そのような保育者になるための第一歩として、本書では、保育者として身に付けておきたい基本的なマナーと言葉についてまとめ、この度、最新の情報を取り入れ「改訂２版」として発刊いたしました。身だしなみや言葉づかい、立ち居振る舞いなどで相手に不快感を与えることのないよう、そしてせっかくの努力がむだにならないよう学んでおきましょう。なお、マナーでは保育者として最低限理解しておいてほしい義務（安全面や守秘義務等）などについても掲載してありますので、これらについてもしっかり確認しておきましょう。

子どもに“先生のことが大好き”といわれるような、保護者に“このような保育者に自分の子どもを預けたい”と思ってもらえるような、相手の気持ちを考え行動できる保育者になるための第一歩として、本書が学生のみなさんに役立つことを願っています。最後になりましたが、本書企画、編集にわたるまでていねいにかかわってくださった、わかば社の田中直子さん、川口芳隆さんに心よりお礼申し上げます。

2021年10月

編者　長島 和代

ある保育学生の一日

前夜〜午前中

保育学生のＡさんは初めての実習で緊張しつつも、とても楽しみにしています。でも、あれ……？

本書の関連項目の頁で確認しましょう！

0:30

Look 生活習慣を急に変えることはできません。

p. 10〜11 で確認！

6:00

第一印象は大事！　しっかりお化粧しなきゃ！

Look 濃いメイクは実習には向きません。

p. 31 で確認！

7:15

バスの中でも準備、準備！
鞄も横においちゃえ！

Look まわりの迷惑も考え、公共のマナーも守りましょう。

p. 18〜19 で確認！

9:50

Look 保育者に伝えず勝手に持ち場から離れてはいけません。

p. 34〜35 で確認！

10:40

車だ、かっこいい！

ダメ！　危ない!!

Look 危険を予測して、子どもたちに怪我などないように配慮しながら保育をしましょう。好奇心でいっぱいの子どもたちの気持ちは認めていきましょう。

p. 38〜39、45 で確認！

11:30

Look 食べ物などのアレルギーは命にかかわるものです。保育者は細心の注意を払って対応しています。アレルギーへの対応だけではなく、怪我など、保育者の子どもへのかかわり方を学びましょう。

p. 45 で確認！

12:20

Look 布団はぎゅうぎゅうに敷き詰めたり、本棚の近くに敷かないように！　また、布団をしまうとき、ちゃんとたためますか？

p. 34〜37 で確認！

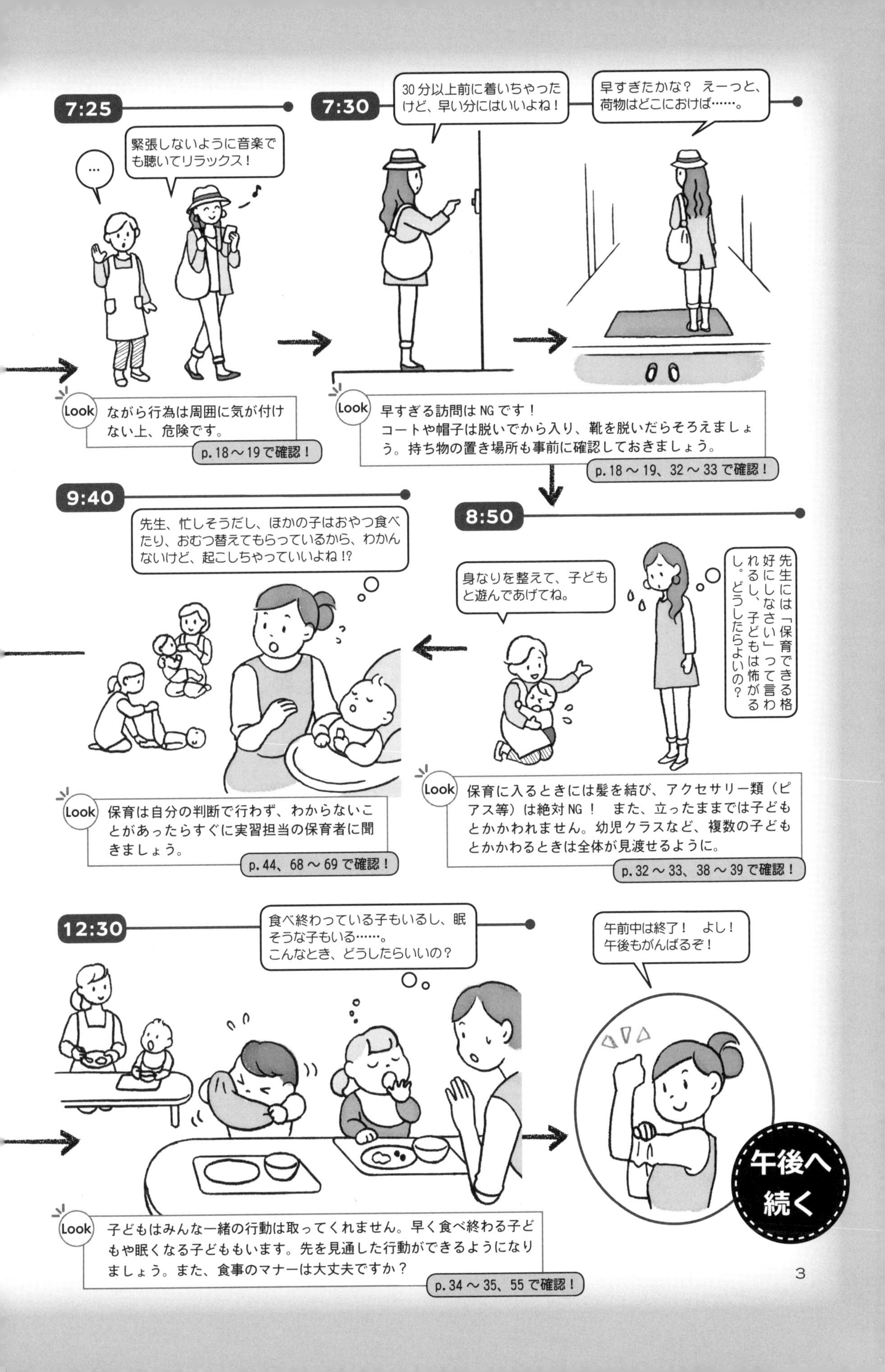

7:25
…
緊張しないように音楽でも聴いてリラックス！
Look ながら行為は周囲に気が付けない上、危険です。
p. 18～19 で確認！
7:30
30 分以上前に着いちゃったけど、早い分にはいいよね！
早すぎたかな？　えーっと、荷物はどこにおけば……。
Look 早すぎる訪問は NG です！
コートや帽子は脱いでから入り、靴を脱いだらそろえましょう。持ち物の置き場所も事前に確認しておきましょう。
p. 18 ～ 19、32 ～ 33 で確認！
8:50
先生には「保育できる格好にしなさい」って言われるし、子どもは怖がるし。どうしたらよいの？
身なりを整えて、子どもと遊んであげてね。
Look 保育に入るときには髪を結び、アクセサリー類（ピアス等）は絶対 NG！　また、立ったままでは子どもとかかわれません。幼児クラスなど、複数の子どもとかかわるときは全体が見渡せるように。
p. 32 ～ 33、38 ～ 39 で確認！
9:40
先生、忙しそうだし、ほかの子はおやつ食べたり、おむつ替えてもらっているから、わかんないけど、起こしちゃっていいよね !?
Look 保育は自分の判断で行わず、わからないことがあったらすぐに実習担当の保育者に聞きましょう。
p. 44、68 ～ 69 で確認！
12:30
食べ終わっている子もいるし、眠そうな子もいる……。
こんなとき、どうしたらいいの？
午前中は終了！　よし！
午後もがんばるぞ！
Look 子どもはみんな一緒の行動は取ってくれません。早く食べ終わる子どもや眠くなる子どももいます。先を見通した行動ができるようになりましょう。また、食事のマナーは大丈夫ですか？
p. 34 ～ 35、55 で確認！
午後へ続く

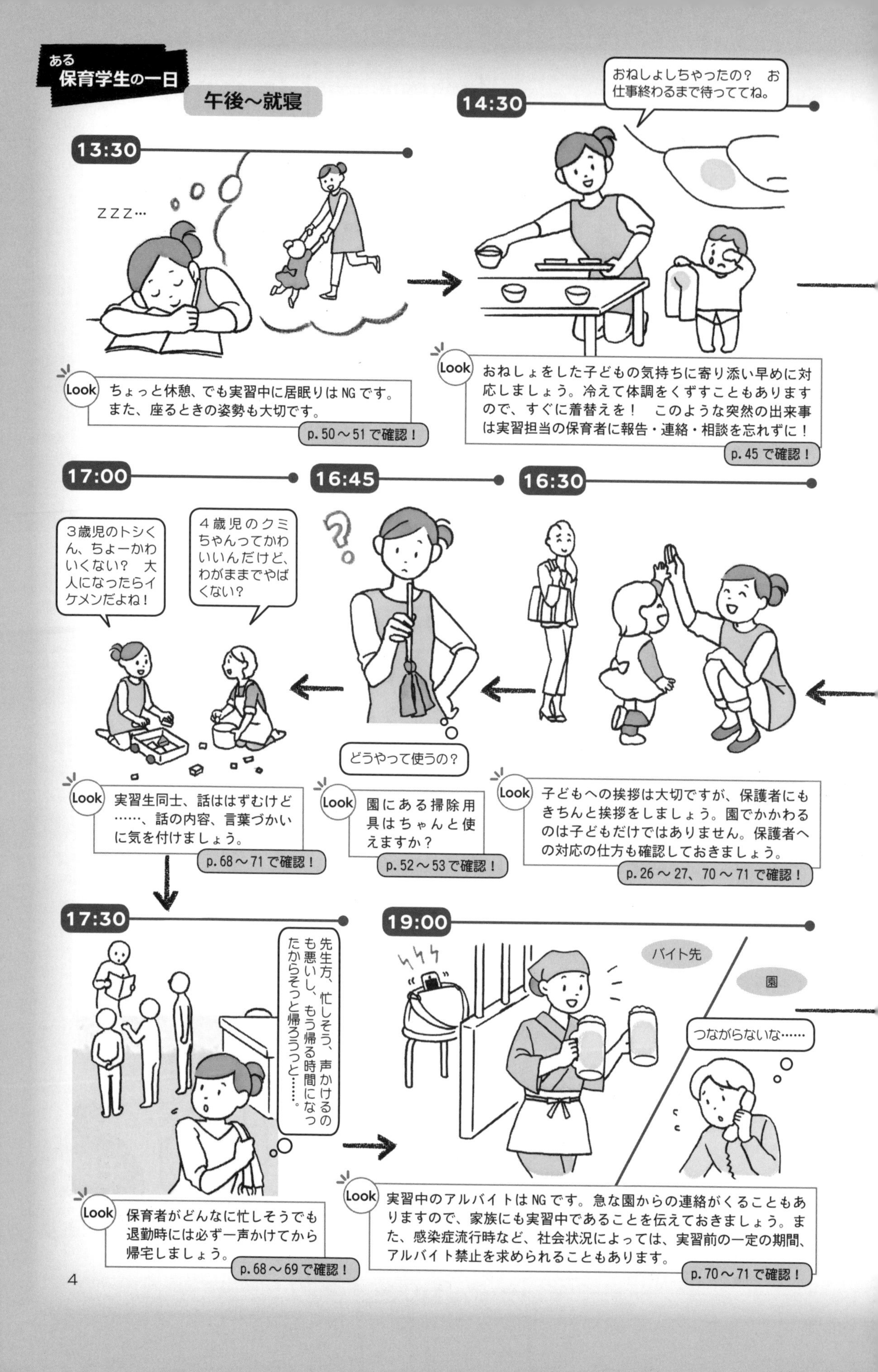

ある
保育学生の一日
午後～就寝
13:30
ZZZ…
ちょっと休憩、でも実習中に居眠りはNGです。
また、座るときの姿勢も大切です。
p.50～51で確認！
14:30
おねしょしちゃったの？　お仕事終わるまで待っててね。
おねしょをした子どもの気持ちに寄り添い早めに対応しましょう。冷えて体調をくずすこともありますので、すぐに着替えを！　このような突然の出来事は実習担当の保育者に報告・連絡・相談を忘れずに！
p.45で確認！
16:30
子どもへの挨拶は大切ですが、保護者にもきちんと挨拶をしましょう。園でかかわるのは子どもだけではありません。保護者への対応の仕方も確認しておきましょう。
p.26～27、70～71で確認！
16:45
どうやって使うの？
園にある掃除用具はちゃんと使えますか？
p.52～53で確認！
17:00
3歳児のトシくん、ちょーかわいくない？　大人になったらイケメンだよね！
4歳児のクミちゃんってかわいいんだけど、わがままでやばくない？
実習生同士、話ははずむけど……、話の内容、言葉づかいに気を付けましょう。
p.68～71で確認！
17:30
先生方、忙しそう、声かけるのも悪いし、もう帰る時間になったからそっと帰ろうっと……。
保育者がどんなに忙しそうでも退勤時には必ず一声かけてから帰宅しましょう。
p.68～69で確認！
19:00
バイト先
園
つながらないな……
実習中のアルバイトはNGです。急な園からの連絡がくることもありますので、家族にも実習中であることを伝えておきましょう。また、感染症流行時など、社会状況によっては、実習前の一定の期間、アルバイト禁止を求められることもあります。
p.70～71で確認！

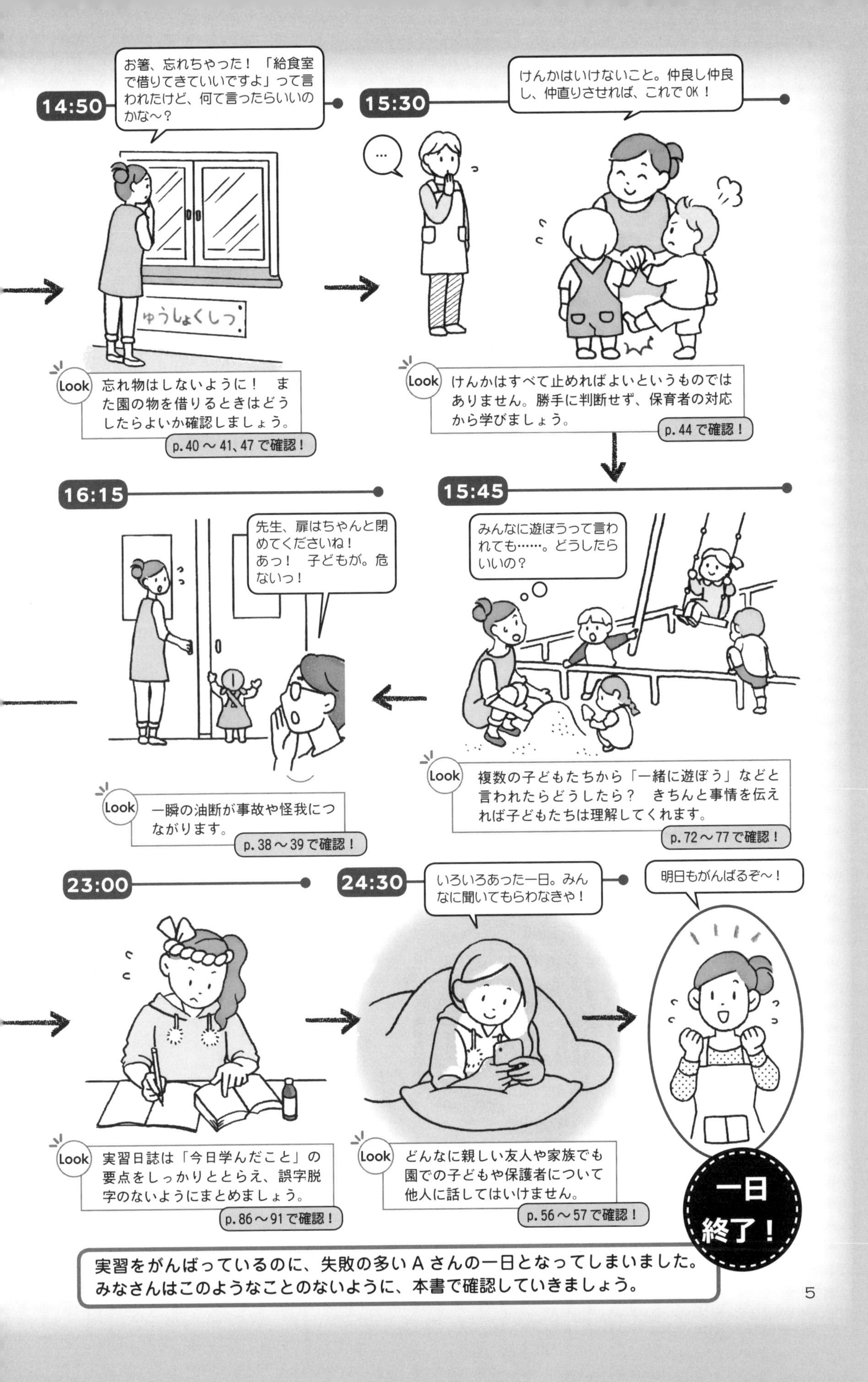
14:50
お箸、忘れちゃった！「給食室で借りてきていいですよ」って言われたけど、何て言ったらいいのかな〜？
ゆうしょくしつ
Look
忘れ物はしないように！　また園の物を借りるときはどうしたらよいか確認しましょう。
p. 40 〜 41、47 で確認！
15:30
…
けんかはいけないこと。仲良し仲良し、仲直りさせれば、これで OK！
Look
けんかはすべて止めればよいというものではありません。勝手に判断せず、保育者の対応から学びましょう。
p. 44 で確認！
15:45
みんなに遊ぼうって言われても……。どうしたらいいの？
Look
複数の子どもたちから「一緒に遊ぼう」などと言われたらどうしたら？　きちんと事情を伝えれば子どもたちは理解してくれます。
p. 72 〜 77 で確認！
16:15
先生、扉はちゃんと閉めてくださいね！
あっ！　子どもが。危ないっ！
Look
一瞬の油断が事故や怪我につながります。
p. 38 〜 39 で確認！
23:00
Look
実習日誌は「今日学んだこと」の要点をしっかりととらえ、誤字脱字のないようにまとめましょう。
p. 86 〜 91 で確認！
24:30
いろいろあった一日。みんなに聞いてもらわなきゃ！
Look
どんなに親しい友人や家族でも園での子どもや保護者について他人に話してはいけません。
p. 56 〜 57 で確認！
明日もがんばるぞ〜！
一日終了！
実習をがんばっているのに、失敗の多い A さんの一日となってしまいました。
みなさんはこのようなことのないように、本書で確認していきましょう。

もくじ

PART 2 保育学生としての言葉

✻ 本書の使い方 ✻

本書は、保育学生として身に付けてほしいマナーと言葉について、さまざまな保育場面の例から学ぶことができるように編集してあります。

✻ PART 1　保育学生としてのマナー

§１では社会人として、保育学生として身に付けてほしい基本的なマナーを中心にまとめてあります。§２では実習などで出会うさまざまな保育場面の実例を通して、保育学生として身に付けてほしいマナーや最低限理解してもらいたい義務（安全面や守秘義務など）や事柄についても掲載してあります。

✻ PART 2　保育学生としての言葉

§１では話し言葉についてまとめてあります。基本的な敬語表現から、保育場面で出会う会話などの実例を通して具体的に学べるように編集してあります。§２では書き言葉について、実習日誌の書き方からハガキ、手紙の書き方、レポート、履歴書など、保育学生が実際に行わなければならない事柄について取り上げまとめてあります。

✻ 課題や本書の囲み記事について

本書では、実際の場面を想定して、学生自身が練習したり、考えをまとめたり、書き込める課題頁を設けています。実習前など繰り返し練習してみるとよいでしょう。

なお、本書では下記のような囲み記事を掲載しています。ぜひ参考にしてください。

column
その項目で関連する事項や確認しておきたい事項、また、保育の場で大切にしてほしい事項などを掲載しています。

POINT
掲載頁で特に重要な事柄をポイントとしてまとめています。

身に付けてもらいたい事柄を掲載しています。

保育者をめざすみなさんにとって、「マナー」や「言葉」は、ただ正しくできていればよいわけではありません。保育者にとって、もっとも重要な子どもの最善の利益を保障し、子ども主体の保育を行うことなどに加えて、保護者の心に寄り添った保護者とのかかわり、園内外での研修などの日々の学び、これらを円滑に行うための第一歩として、正しい「マナー」や「言葉」を学んでもらうことが本書の目的であることを忘れずに学んでいきましょう。

PART 1

保育学生としてのマナー

社会人として、また保育学生として身に付けたいマナーについて確認しましょう。
保育学生としての基本的なマナーと保育場面での留意事項についても学びましょう。

§1　基本的なマナー

マナーは日常生活におけるルール

みなさんはマナーと聞くと何を思い浮かべますか。何か堅苦しく自分の日常生活と違うことのように考えているのではないでしょうか。マナーは人の長い歴史の中で延々と続いてきた日常生活の中から生まれてきました。相手に不快感を与えず、自分も気持ちよく生活するためのルールといえます。ルールですからそれぞれの文化や地域性、時代などによって変わってきます。ここでは、社会人としての基本的なマナー（ルール）から、保育の場におけるマナーについて一緒に考えてみましょう。

自己管理は社会人としての基本

① 健康管理は基本的なマナー

健康管理は社会人として一番大切なマナーです。そのためにも、実習中に寝坊して遅刻などしないよう、日ごろから早寝・早起きを心がけましょう。人は寝不足であったり疲れていると、体調をくずしやすいものです。0時前に寝るのとそれ以降に寝るのでは同じ睡眠時間でも回復の仕方が違うといわれています。同じ睡眠時間で効率よく疲れを取るためにも0時前には眠ることを心がけましょう。

また、睡眠不足など疲れていると人は機嫌も悪くなりがちです。保育者が機嫌が悪いとその被害を受けるのは子どもです。そのようなことがないよう規則正しい生活習慣を心がけましょう。また、普段から病気にかからないよう、外出先から帰ったあとなどには、手を洗う、うがいをすることを習慣化しましょう。

② 5分前行動を身に付ける

時間を守ることは、社会人としての基本です。出勤時間・会議の時間などは必ず5分前にその場にいるよう心がけましょう。10分遅れたらほかのメンバーは10分待たなくてはならないのです。時間は大切です。まわりの人に迷惑をかけないようにしましょう。

③ 仕事に責任を持つ

当たり前のことですが、自分の仕事に責任を持ちましょう。ときどき、嘘や言い訳をいって自分の失敗を逃れようとする人に出会います。失敗は失敗として自分で責任を持ち、嘘をついて逃れないことです。保育の場で、自分を守るためのちょっとした嘘や言い訳が、子どもに危険をもたらすことすらあります。つまり、被害を受けるのは、いつも子どもであることをしっかりと理解しましょう。失敗など悪いことほど早く報告するように心がけてください（p.16参照）。

心のこもった正しいマナーを

社会に出ると初めて出会う人や日常的にかかわる人など、人と直接かかわる機会が多くなります。年齢や性別、立場も異なる人との円滑なコミュニケーションが求められます。スムーズな人間関係を作ることで異なる生活環境の人たちとも自然と信頼関係も生まれてくるでしょう。そのためにもマナーはとても大切です。

たとえば、年の離れた先輩が声をかけてくれたとき、初対面なのに友達口調で対応したため、常識のない人間と思われ、それ以上のよい関係につながらないことも考えられます。それではせっかくの人間関係を広げる機会も失ってしまうのです。まずは正しい社会的マナーを理解し使えるようになることが大切です。

しかしマナーは、決められた形を真似していればよいわけではありません。ただマニュアルのように「おはようございます」と声をかけても、相手は挨拶されたことは理解するでしょうが心にまで響かないでしょう。声をかける相手が目上の人であれば、お辞儀をしながらていねいに声をかける必要があるでしょうし、子どもや同僚ならば笑顔で大きな声で挨拶するなど、その場の状況や相手に応じた心のこもった言動が根底になければ人間関係や信頼関係を作るマナーにはつながりません。正しいマナーはもちろん大切ですが、相手の気持ちを考えた心のこもったマナーを心がけましょう。

また、社会に出たばかりのころはすべて目上の人になりますが、次第に後輩も出てきます。先輩の正しいマナーを後輩たちは見て育っていきます。特に保育者をめざすみなさんであれば、次の世代を担う子どもたちも見ているのです。社会人として保育者としてモデルとなれるようなマナーを身に付けていきましょう。

column 名刺の渡し方

学生のときは名刺のやりとりをする機会は少ないものですが、社会人になると名刺の受け渡しから挨拶が始まることが多くあります。保育者も園外研修などや業者への依頼の際には名刺を持ち挨拶する機会もあります。名刺の渡し方についても確認しましょう。

名刺をいただいたら、こちらも渡すのが基本ですので、社会人になったら名刺を用意するようにしましょう。名刺は相手のほうを向け両手で持ち、必ず立って手渡します。渡すときに一言「よろしくお願いいたします」の言葉を添えましょう。指で名前を隠さないよう注意しましょう。読めない漢字はその場で確認し、すぐにしまわずていねいに扱いましょう。名刺の上に物をおくなどは厳禁です。また、名刺を渡す順番は、役職の上の立場の人から渡しましょう。訪問時などは、訪問した側が先に名刺を渡すのが一般的です。

表情・挨拶・お辞儀

表　情

コミュニケーションには、言葉によるコミュニケーション（バーバルコミュニケーション）と言葉以外のコミュニケーション（ノンバーバルコミュニケーション）の２通りがあります。このうち、人の印象はバーバルコミュニケーションが１割程度、残りの９割は言葉以外のノンバーバルコミュニケーションによって決まるといわれています。

つまり、いくら正しい言葉づかいや挨拶ができたとしても、言葉以外の表情、目線、態度などが適切でなければ、印象は決してよいものにはならないのです。ここでは、コミュニケーションにおいてもっとも重要な“表情”について確認してみましょう。

表情の作り方

column　笑顔でいることは大切だけど……

いつも明るく笑顔のＡさん。実習中に至らなさを指摘され、実習担当の保育者から注意を受けました。「はい。申し訳ありません」と素直に謝罪をしています。が、その表情はいつものようにニコニコとした明るい笑顔です。保育者からは「反省しているようには見えないわね。本当にわかったの？」と注意されてしまいました。

いくら笑顔が大切といっても、謝罪の場面では真剣な顔つきでなければ反省していることは伝わりません。当然のことながら、状況に応じた自己表現が必要です。

挨　　拶

コミュニケーションは、挨拶から始まります。実習場面はもちろんのこと、日ごろから次のようなことを心がけて生活しましょう。

① 自分から先に挨拶を

特に、目上の人から先に挨拶をされることのないようにしましょう。

② 時刻に応じた挨拶を

アルバイト先では夕方でも「おはようございます」と言うことも多いようです。しかし実習や日常生活では「おはようございます」「こんにちは」「こんばんは」と時刻に応じて適切な挨拶を使い分けることが求められます。

③ 大きな声で、はっきりと

下を向いて小声で言うのでは、挨拶したことにはなりません。はっきりと相手に伝わる声の大きさで挨拶をしましょう。

column　自分ではしているつもりが……

保育の場では、子どもたちの元気な声が聞こえています。実習生は挨拶をしているつもりでも、実習園の保育者には聞こえていないことが多々あります。相手の反応を確かめながら、子どもたちの声に負けないよう、相手に聞こえる声で挨拶をしましょう。

お辞儀の種類

実習場面では、保育者や保護者、来訪者にお辞儀をする機会が多々あります。ここでは、お辞儀の種類と活用場面についておさえておきましょう。

POINT

相手との距離は？

相手に不快感を与えない距離は１m程度です。

座っているときは？

着席している場合には、立ち上がってからお辞儀をしましょう。

お辞儀の前には？

まず相手の目を見てから、お辞儀をしましょう。

覚えておこう　お辞儀の種類と場面

お辞儀にも種類があります。どのような場面にどのようなお辞儀をするとよいのか確認しておきましょう。

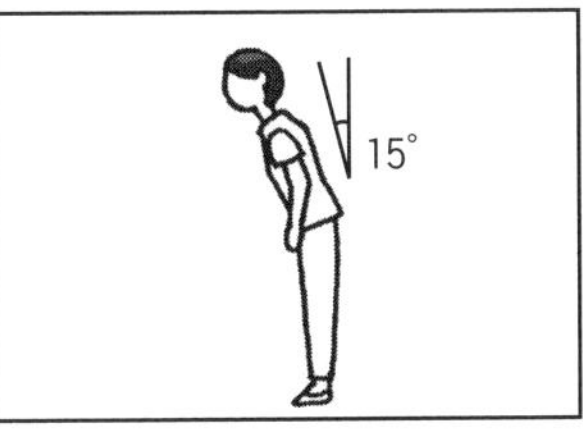

①会釈：人とすれ違うとき、軽く挨拶をするときに使うお辞儀。

②敬礼：一般的なお辞儀。

③最敬礼：謝罪や感謝の気持ちを伝えるときに使う、最もていねいなお辞儀。

気を付けたい社会的マナー

電車やエレベーターの中で気を付けるべきマナーとして、どのような内容を思い浮かべますか。社会に出ると、目上の人と行動を共にする機会がとても多くなります。そんなとき、「常識のない人」と思われることのないよう、基本的なことですが公共の場のマナーを確認しておきましょう。

携帯電話のマナー

電車やバスの中、授業中や仕事中の通話はもちろん、着信音を鳴らすこともマナー違反です。家を出るときにはマナーモードに設定する習慣を付けましょう。

相手の目の前でメールを送受信する、話を中断して電話に出ることも失礼にあたります。相手の目の前でどうしても携帯電話を使用しなければならないときには、「失礼します」と断ってから手短かにすませましょう。当たり前のことですが、授業中、実習中の携帯電話の使用は厳禁です。

エレベーターのマナー

エレベーターでボタンの前に立ったら、率先してボタンの操作を担当しましょう。ほかの人が開閉ボタンを押してくださった場合には、「ありがとうございます」と一言添えてから乗り降りしましょう。

来訪者への対応

養成校や実習園等で来訪者に出会ったら、会釈と共に気持ちのよい挨拶を忘れないようにしましょう。

来訪者が困っている様子に気付いたら用件を聞き、職員を呼ぶ、指示を仰ぐなどの対応を取りましょう。また、自分一人で対応した場合には、誰がどのような用件で訪ねてきたのか、自分がどのように対応したのかを必ず職員に伝えましょう（p.74 参照）。

靴がそろえられていないことに気が付いたら、誰の靴であっても率先して直すようにしましょう（p.33 参照）。

喫煙のマナー

喫煙の際には、指定された喫煙場所を守り、歩きタバコは絶対にしないようにしましょう。実習園では、たとえ休憩中であっても喫煙は厳禁です。また、実習期間中は、極力喫煙を控えるようにし、衣服や実習日誌にタバコの臭いが染み付いているといったことのないようにしましょう。喫煙は喫煙者本人だけでなく、副流煙によってまわりの人の健康にも悪影響を及ぼします。具体的には目やのどの痛み、気管支喘息などの呼吸機能の低下、がんなどを引き起こすことが知られており、子どもへの影響はさらに深刻なものとなることを自覚しておきましょう。保育者を志す人はタバコをやめる努力をしましょう。

感謝や謝罪を伝える・依頼する

保育には、その場に身をおき周辺的にかかわることでしか、理解したり身に付けたりすることができない技術や態度がたくさんあります。つまり、一生懸命取り組んでいても、わからないこと、失敗してしまうこと、保育者にフォローしていただくことが多々あります。そんなとき、きちんとお礼や謝罪ができることが大切です。ここでは、そうした基本的な態度について確認してみましょう。

お礼の伝え方

お礼はできる限り早く伝えましょう。タイミングを逃してしまうと、“礼儀を知らない”、“やってもらって当たり前と思っている”などの誤解を受けることもあります。

目上の人や実習園の保育者から、何かを教えていただいたり、ご指導、ご指摘を受けたりしたときには、「教えていただき、ありがとうございます」と、謙虚な気持ちで受け止めましょう。

実習最終日など、園や施設の職員にお礼を述べるときには、直接ご指導いただいた職員だけでなく、全職員にお礼を述べましょう。直接かかわりがない職員であっても、実習生のために保育内容や勤務時間を調節したり、提出物を見てくださったりと、園全体で実習生の受け入れのためにさまざまな配慮をいただいていることを忘れないようにしましょう（「実習最終日」p.58 参照）。

実習終了後など、お礼の手紙を書く場合には、遅くとも1週間以内に送りましょう（「実習のお礼状」p.102 参照）。

謝罪の仕方

ミスを指摘されたり、失敗してしまった場合には、悪気がなくてもまず素直に謝罪をするようにしましょう。先に言い訳を口にしてしまうと、謝罪の気持ちがあっても相手には伝わりにくくなります。

遅刻や提出物の遅れなど、あってはならない失敗をしてしまったときも、理由は正直に伝え、隠すことのないようにしましょう。事実とは異なること

を言った場合には、必ず明らかになり信用を失ってしまいます。
また、ミスをしてしまった場合には、誠意を持って謝罪の気持ちを伝えるだけでなく、同じことを繰り返さないよう確実に改善するように努力しましょう。言いにくいことほど、後まわしにせず早く伝えましょう。

依頼の仕方

養成校でも、実習園でも教員や保育者、先輩に何かを依頼しなければならない場面は多々あります。たとえば、物品の場所をたずねる、業務の補助をお願いする、実習内容の調整をお願いするなど、人と協力して働く場合には、頼み事はつきものです。実習生から、「先生方に頼みづらくて一人で無理をしてしまった」「頼める人が見つからなくて、頼まれた業務を終わらせることができなかった」などの声を頻繁に耳にします。どのようにしたら失礼のない依頼ができるか、ここでおさえておきましょう。

POINT

タイミングよく
相手の状況をよく見て、業務のじゃまにならないタイミングを見計らって声をかけましょう。

気づかいの言葉を添えて
「今、お時間よろしいでしょうか？」「お忙しいところを申し訳ありません」など、相手の状況に対する気づかいの言葉を添えるようにしましょう。

相手にたずねる形で
「～を教えていただけますか？」「～のお手伝いをお願いしてもよろしいでしょうか？」など、相手に可能かどうかをたずねる形でお願いしましょう。

きちんとお礼を
頼み事を聞いていただいたら、「お忙しいところを、ありがとうございました」ときちんとお礼を述べましょう。

column **本当にわかってる？**

実習生のEさん。とてもまじめな学生ですが、こちらの話が伝わっているかどうか不安です。目を見て真剣に話は聞くものの、ちょっとだけ首を縦に振るだけで「はい」の返事がありません。
一方、とても元気がよく、何か言うたびに「はい」と大きな声で返事をするFさん。返事をするのはよいのですが、保育者に背中を向けたまま返事をしています。
返事をしないことも、相手の目を見ないことも、「あなたの話を聞くつもりはありません」あるいは「理解するつもりはありません」という否定的なメッセージを伝えることになります。
どんなときも、相手の目を見て、「はい」と返事をする習慣を付けましょう。

訪問時の事前準備とマナー

初めて訪問する場所は誰でも緊張するものです。直前になってあわてないように事前に準備をしておきましょう。基本的なマナーは、日ごろの自分の価値観や行動が現れることも忘れずに、第一印象のよい訪問となるよう、訪問時の事前準備とマナーについて確認しておきましょう（電話やオンラインで行われる場合のマナーは、p.72 ～ 73、p.108 を参照しましょう）。

準備にある程度時間の必要なもの

訪問する際に時間に余裕を持って準備しておきたいことを確認しておきましょう。

① 訪問先の確認

ホームページなどで確認したり、パンフレットをいただくなどし、訪問先について事前に確認しておきましょう。実習の場合であれば、園の方針などについても知っておきましょう。

② 訪問先までの経路

訪問先までの経路（交通手段）は必ず自分の足で一度行っておきます。所要時間を体験し時刻表も確認し、さらに遅延などの場合も考え迂回経路をもう一つは知っておきましょう。

③ 訪問する内容の確認

何のために訪問するのか内容を確認します。実習のオリエンテーションの場合であれば、どのような実習を行いたいのか、養成校での学びを振り返り、自分の気持ちを文章などでまとめるなどして整理しておきましょう（p.28 ～ 29 参照）。

④ 提出物などの準備

訪問時に事前に用意しておく必要のある書類なども確認しましょう。実習では実習に耐えうる健康を保持できているか確認するための関係書類の提出が求められます。たとえば、保育実習では、食事の介助や乳児保育を行うため細菌検査（検便）が必要で、麻疹・風疹の抗体検査や予防接種も受けることが望ましいとされています。養成校で一斉に検査を行う場合もありますが、自ら行うときには検査の結果に一定の時間がかかるので、検査機関に結果の予定日を確認しましょう。提出のタイミングは実習園に前もって確認します。教育実習でも予防接種等の有無について問われますので、事前に確認しましょう。また、その時期に流行している感染症への対応として、検温結果などを記す健康管理シートの提出や必要な検査結果の提出などが求められる場合もあります。訪問前に確認しておきましょう。

直前に確認が必要なもの

訪問直前には、あらためて身だしなみの確認をしましょう。履いていく靴を磨き、持ち物をしっかりとチェックしましょう。天気予報を確認し、約束の時間に間に合うように、目覚まし時計を準備します。実習の際の持ち物については「保育の場での持ち物」（p.40 ～ 41 参照）としてまとめてありますので参照しましょう。

訪問時に気を付けること

就職活動であれば企業や会社へ、実習であれば実習園へ、事前にアポイントを取った上で訪問します。訪問する際は、誰をたずねればよいか、担当者などもしっかり確認するようにしましょう。訪問先によっては、スリッパを持参する必要があるのかなども確認します。実習で園を訪問する際は必ず上履きが必要ですので持参しましょう。

訪問時間は遅くても約束の15分くらい前には現地に到着し、5～10分くらい前にたずねるようにします。ただし、訪問先が先方の自宅の場合は約束の時間ぴったりをめどにたずねるようにします。自宅へあまり早く訪問すると先方の迷惑になることがありますので気を付けましょう。訪問時に気を付けたいポイントをまとめました。しっかりと確認してみましょう。

POINT

身だしなみと持ち物の確認！

もう一度“身だしなみ”を確認し、“持ち物”は忘れ物がないようにしましょう。家を出る時間は到着時間を考えて出発しましょう。

ながら通勤は禁止！

通勤途中のマナーにも気を付けましょう。スマートフォンや携帯電話を見ながら、音楽を聞きながらの歩行は話しかけられてもわからず、マナー違反の上、危険ですのでやめましょう。最寄り駅に着いたらスマートフォンや携帯電話の電源をoffにしましょう。いつ誰に見られてもはずかしくないような行動を心がけましょう。

到着時間は大丈夫？

遅くとも約束時間の15分前くらいには現地に到着し、5～10分前くらいに訪問するようにしましょう。早すぎる訪問もマナー違反です。インターフォンを鳴らす前には帽子、コートを脱いでおきます。インターフォンなどに映る画面にはすでに第一印象を決めるあなたの姿を見られています。

挨拶を忘れずに！

訪問先で出会う人には挨拶をしましょう。実習園を訪問する場合は、保育者や子どもだけでなく、保護者や業者の方などすべての人に実習させていただく感謝を心に思いながら挨拶をします。

玄関でのマナーを確認！

園に訪問する場合は、事前の指示に従い靴を脱ぎ、持参した上履きに履き替えます。園では来客が多かったり、子どもも使う玄関が多いので下駄箱などの棚などに片付けることが通常です。指示された場所にしまいましょう。

出入りやそのほかのマナー

敷居を踏んではいけません。また、扉をあけるときは必ずノックして返事を聞いてから入るようにしましょう。基本的に人が話している間や目の前を通るのはマナー違反です。やむを得ず前を通らなくてはならないときは「失礼します」と声をかけ通りすぎましょう（子どもに対しても忘れずに）。

最後に実習を例に自宅から園までの時間の流れを示しました。自分の予定を書き込み確認してみましょう。

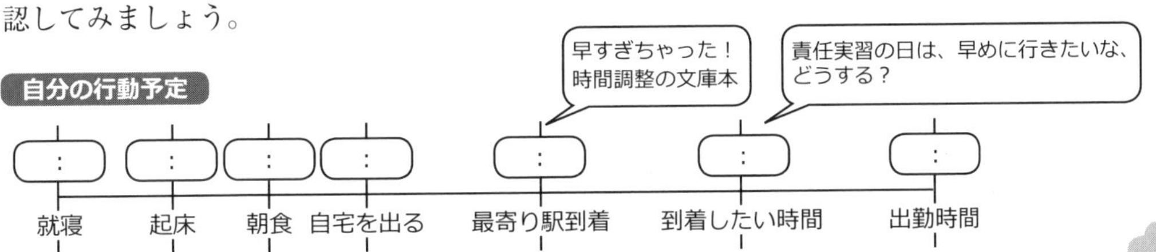

きれいな断り方

誰かに物事を期待され、お願いされることはうれしいことです。しかし、自分ではできないことなどはしっかりと断ることも社会人としての大切なマナーとなります。ここでは相手を不快な気持ちにさせないようなきれいな断り方について、保育学生がよく出会う実習場面を例に見ていきましょう。

実習で断る場面とその際の言葉

実習は養成校が園へ実習依頼をし、実習園が許可してくださって初めてできる貴重な機会です。実習生はその機会を最大限生かせるよう、積極的に動くのが基本です。実習園の配慮により、部分実習や責任実習の機会や、実習園が展開するさまざまな保育サービス（たとえば、早朝保育、延長保育、預かり保育等）に参加する機会をいただいても、それらを「できません」「結構です」「無理です」と断ってしまっては、実習生として失格です。

ただし、明らかに子どもの利益が損なわれる場合や、実習生としての責任を超えることを頼まれた場合、自分の健康が損なわれ結果的に実習園にご迷惑をおかけすることが予測される場合などには、断ることも必要になります。自己判断がつかない場合には、養成校の教員に相談しましょう。その際には「私では判断しかねますので、養成校の教員に相談させていただけないでしょうか？　連絡が取れましたらすぐにお知らせいたします」などと伝え、養成校の教員の指示をもらったらすぐに回答するようにしましょう。

断り方の実例

いくつかの断ることが必要なケースとその対応を次頁にあげてみました。

また断り方のポイントを参考に、そのほかのケースでも、配慮のあるきれいな断り方を心がけましょう。

POINT

自己判断がつかない場合、養成校の教員に相談！

断ってよいことなのか、悪いことなのか、わからない場合は、必ず養成校の教員に相談しましょう。勝手に判断することのないようにしましょう。

謙虚な姿勢で敬語を用いて、断る理由を相手に説明！

謙虚な姿勢を忘れずに心がけましょう。きちんとした敬語を用いて、断る理由もわかりやすく伝えましょう。

「できません」などはＮＧワード！

断る際に「できません」「結構です」「無理です」は絶対にNGです。「いたしかねます」を用いるようにしましょう。

断り方の対応例

CASE ①

アトピーがひどくて園児とプールに入ると塩素で悪化しそう。どうしよう……。

対応例①

大変申し訳ございませんが、アトピー性皮膚炎の症状が現在ひどく、悪化が予想されますのでプール指導に入ることがむずかしい状態です。養成校の教員と相談した結果、通院して診断書をもらってまいりますので、今回は見学させてください。今後、アトピー性皮膚炎の治療を続けてまいりますので、症状が改善しましたらプール指導に参加させてください。

※必ず養成校の教員に相談した上で断るようにしましょう。

CASE ②

保護者から「ちょっとこの子を見ていて」と在園児の弟の赤ちゃんの保育を頼まれた。どうしよう……。

対応例②

申し訳ございませんが、私は保育者としての資格や免許を持たない実習生です。大切なお子様をお預かりしても何かあった場合、責任を取ることができませんので、ご依頼をお受けいたしかねます。

CASE ③

保育者が好意で用意してくれたスイーツ。気持ちは大変うれしいのだけれど、甘い物が苦手でどうしよう……。

対応例③

特別にお菓子を用意してくださってありがとうございます。今、満腹でいただけない状況です。後ほどおいしくいただきたいと思いますので、自宅に持ち帰ってもよろしいでしょうか。

※社会人としての対応です。

CASE ④

保護者会で来園した保護者から園庭で喫煙してよいかたずねられた。園の敷地内は禁煙のルールだけれども、どうしよう……。

対応例④

当園では園の敷地内は禁煙と定められております。恐れ入りますが、おタバコをお控えくださいませんでしょうか（もしくは「喫煙をご遠慮いただきたくお願い申し上げます」）。

column クッション言葉は便利

「申し訳ございませんが」「恐れ入りますが」「お手数をおかけいたしますが」など、依頼したり断ったりする場合、表現をやわらげる目的で用いる言葉をクッション言葉といいます。

「ご足労をおかけしますが」は、もう一度相手に来てもらうことを踏まえた特別な場合に使用するクッション言葉です。これらのクッション言葉を TPO に従って用いると好感度がアップします。

しかしクッション言葉を多用したり、謙虚な姿勢が伴わない場合、無礼な印象を相手に与えますのでほどほどに使用しましょう。

病気や感染症への事前対応

集団生活の場は、感染症や流行病(はやりやまい)が一人でも出ると大勢の人に広まりやすいため、さまざまな形で事前の予防対策や発生時の感染予防に努めています。特に抵抗力の弱い乳幼児が生活する幼稚園や保育所、認定こども園、乳児院などではさらに注意が必要です。ここでは園や施設の実習に行く前に事前に行ってほしい病気や感染症への対応について確認しておきましょう。

最新の情報をチェックしておこう

全国単位で、日ごとの園の欠席者や病気等の発生状況、感染症の早期探知を迅速に行う「学校等欠席者・感染者情報システム」（病気や感染症などの集団発生を早期に探知し対応するためのシステム）で最新の感染症などの発生状況を確認しておきましょう。リアルタイムで情報を共有することにより、全国的に流行している感染症などの状況を知ることができ、誰でも閲覧することができます。その他、新聞やニュースなどの情報にも注意を払い、病気や感染症が流行している場合には、感染防止などの対策についても事前に確認しておきましょう。

実習前にできる予防

感染経路には飛沫感染、接触感染、経口感染、空気感染等があります。手洗い、うがい、咳エチケット、空間の換気、感染症流行時のマスク着用など、日ごろの健康管理によりさまざまな感染のリスクから身を守ることができます。実習前には自分自身の感染症への抗体の有無を確認し、抗体のないものは予防接種を考えましょう。なお、予防接種のワクチンは保存がきかないものもあり、すぐに予防接種が受けられない場合もあります。事前に確認し予約をしてから受けるようにしましょう。また「保育所における感染症対策ガイドライン」（厚生労働省）も確認するとよいでしょう。他にも「保育所における予防接種と感染症に関するあるあるQ&A35」（日本小児保健協会、予防接種・感染症委員会、2020）には保育所職員が受けておくべき予防接種などが示されていますので、参照しておくとよいでしょう。

実習中にできる予防対策

実習中は慣れない場所での緊張や帰宅してからも記録の作成と、心身共に全力で向かう実習生の疲れも多くなります。疲労は体調をくずすことにもつながるため、ゆっくり入浴をして疲れを取るなどするとよいでしょう。どんなに遅くても0時前には就寝しましょう。

清潔に保つことは予防や感染の拡大を防ぐことにつながります。実習中のエプロンや着替えは多めに持参しましょう。特に嘔吐・下痢などへの対応に使用したエプロンは消毒が必要です。消毒が不十分なまま家に持ち帰ると本人だけでなく家族に感染させてしまうことがあります。消毒に際しては、対処法を職員に確認し気を付けて行いましょう。

ボランティア

ボランティアとは

ボランティアとは、自由な意思を持って対価を求めず働く人、もしくは行為のことをいいます。保育の業務はボランティアに支えられることによってさまざまな支援を可能にしたり、社会貢献したいという人と地域との連携を果たす役割ともなっています。

積極的にボランティアに参加しよう

ボランティアに参加することは、保育者の仕事を理解するための貴重な経験の機会でもあります。さまざまな保育の現場へ行き、積極的にボランティアに参加しましょう。

ボランティアに参加するには、インターネットなどを活用して自分から探す方法や養成校から紹介してもらう方法などがあります。各地にある社会福祉協議会の中にはボランティアビューローを設置しているところが多くあります。そこではさまざまなボランティアの募集やボランティアグループが登録されています。また、ボランティアビューローのない社会福祉協議会でも相談にのってもらえますので活用してみるとよいでしょう。養成校でも実習関係園の社会福祉施設や児童福祉施設、作業所、自治体などから子育て支援や地域祭り等の行事など、保育学生が参加しやすい内容のボランティアの募集を紹介しています。参加する場合には、養成校の教員（自分のゼミの担当教員など）に相談しておきましょう。

学生ボランティアは、まだ専門性に未熟さがあるので、事前のオリエンテーションや研修に参加し、安全には十分に注意した上で、担当者の指示に従いながら役割を果たしましょう。

column さまざまなボランティア活動とその姿勢

「森と子育て文化をつなぐ研究会」の高橋京子は親子や園児への自然遊びを行っています。こうした活動は伝承遊びの経験のない養成校の学生にとって、ボランティアを通し、自然の中での危機管理や遊びを実体験できるよい機会となっています。また、「ティースプーンの会」の大場満恵は幼稚園と協力し、アフリカの子どもたちへの支援や音楽会を保護者と共に行っています。このように園として取り組むボランティアもあります。自分の得意分野を生かせるボランティアなど、さまざまな社会貢献につながるボランティアに参加してみるとよいでしょう。

また、大場幸夫は『保育臨床論特講』（萌文書林、2012）で人はそれまでどのような経験をし、どのように生きてきたかで変わっていく“発想の航跡”があると述べています。もちろん保育者としての専門的教養を探究する気持ちで参加することも大切ですが、日常的に育まれる感性のまなざしの重要性を示唆しています。その人らしい個性を持てる実践スキルと出会ったり、ベテラン実践者から学びを得たり、子ども自身からも学べる体験的なボランティア経験は、自分がどのように考え感じたかを大切にすることで保育者としての感性を培うことにもつながるということでしょう。

メンタルヘルス（心の健康）

就職すると学生時代では経験しなかったことやわからなかったことを見聞きし、職務の責任に押しつぶされそうになるかもしれません。そのようなときに心の負担を最低限におさえ、メンタルヘルス（心の健康）の安定を図る方法を知っていると、自分の人生の航路を定め自分らしく生きる大きな支えとなります。

ここでは、保育者として心の負担を最低限におさえメンタルヘルスの安定を図るための園内でできる取り組みと、メンタルヘルスの不調を感じた際に利用できる社会的資源のさまざま、そしてストレス解消の方法について整理していきましょう。

園内での取り組みのポイント

① 自分がトラブルに巻き込まれたら……

まず、園長や担当の保育者に事態の経緯を正確に報告し、どのように解決できるか相談しましょう。そのためには、普段から保育中に気になることが起きたとき、保護者や同僚とのやりとりの中で「おやっ」と思うことがあったときに、その日時と内容を記録しておくことが大切です。そして、園長等の指示を仰ぎながら、先輩保育者や同僚に事態の経緯を伝え、自分が困っていることを伝えましょう。とはいえ、職場は勤務場所ですので、必要以上に先輩や同僚に依存しないようにしましょう。その上で、園長等の了承を得て、第三者機関に相談するようにしましょう。これらの経緯、日時や内容は簡単に記録しておきましょう。

② 同僚がトラブルに巻き込まれたら……

①で紹介したようなトラブルに巻き込まれたときの一連の対応を同僚に伝えるとよいでしょう。また、必要以上に干渉せず、気持ちや言葉で同僚を応援しながら、園長等の判断を第一に事態の解決を見守るようにしましょう。

もし、同僚のメンタルヘルスが不調と考えられる言動があった場合は、園長等に報告し、職場全体で支援できないか考えるように努めましょう。

不調を感じた際に利用できる社会的資源のさまざま

以下の社会的資源を複数活用し、セカンドオピニオンなど、複数の対処法を得ておくと安心です。

卒業した保育者養成校	学校カウンセラーが卒業生支援を行っているかを確認し、行っていれば相談可能。
メンタルヘルス対策支援センター（独立行政法人　労働者健康福祉機構）	保育者自身を始め、園長・保育者の家族や同僚も相談可能。
市区町村の役所やハローワーク	配置されている精神保健福祉士に相談可能。

ストレス解消の方法

健康的な解消方法を生活に取り入れましょう。

深い睡眠・バランスのとれた食事・継続できる運動をする	量より質を重視しましょう。
小旅行や趣味で、休日や休暇は気分転換を図る	仕事から離れた気分転換は、思いがけない保育のヒントにもなります。
友人や同僚と話す	保育者になってうれしかったこと、子どもとのかかわりの中での楽しみを気の許せる友人に話すことで初心に戻ることができます。
自分をコントロールしながら社会と共生している事例を読む	精神的な課題を持つ人が共同生活を送る「べてるの家」に関する図書などを読み、自分を肯定的に受け止めることで、人に対する理解を深めることができます。

column　保育学生のメンタルヘルス

友人・恋人・家族など特定の人との人間関係に悩んだり、学校・アルバイト先・実習園などの場の雰囲気に違和感を感じることは誰にでもあることです。

ただし、それらの悩みや違和感が原因で、学習意欲が湧かない、人と話すことが面倒に感じる、夜眠れない、食欲がない、1か月以上気持ちが落ち込んでいる、など「普段とは違う」「ちょっとおかしい」と自覚する症状がある場合、身近にいる信頼できる人や専門家の助言を聞くことが大切です。

在籍する養成校に保健医やカウンセラーがいる場合、思い切って相談してみましょう。話を聞いてもらい考えを整理することで、気持ちが軽くなります。医師もカウンセラーも専門家ですので、相談内容の守秘義務があり、相談内容はほかに知られません。養成校内に保健医やカウンセラーがいない場合や、校内の人に相談したくない場合には、学生部など学生の厚生に関する部署に相談し、カウンセラーのいる地域の医療施設を紹介してもらいましょう。

保健医やカウンセラーへの相談を「このくらいのことで大げさかもしれない」「ほかの人から変な人と思われはしないか」と心配する人がいるかもしれません。「心の風邪」と呼ばれることもある心の変調は、風邪と同様、早めの治療が早期回復の上でも重要です。

§2　保育場面における気を付けたいマナー

保育者は生活者としてのモデル

保育者は子どもにとって生活者としてのモデルであり、子どもは保育者の言動を見ています。言葉づかいや行動などを含め、生活のあらゆることが子どもにとってはお手本となります。保育者でも保護者でも「私のよいところだけ真似てほしい」と思いますが、残念ながら子どもは悪いところもそのまま真似をします。真似してほしくないと思うような汚い言葉、行儀の悪い食事の仕方、そして思いやりのない行動などしないように気を付けましょう。

また、保育者と子どもとの関係はともすると支配―被支配の関係になりがちですが、子どもを一人の人格として尊重していくことが保育の基本です。これは、保育者として大切な態度といえます。子どもを呼び捨てにしない、子どもの心を傷付けるような言葉づかい・態度をしないなどは特に気を付けましょう。

職場の人間関係上のマナー

職場の人間関係でもマナーはとても大切です。マナーを守らないと思わぬ問題も起きてしまいます。

たとえば、陰で人の悪口を言わないことです。自分が言った悪口が人から人へ伝わり、実際の話とは違った形で本人に伝わり、人間関係がくずれてしまうことはよくあることです。また、職場の仲間が人の悪口を言っているときに「そうですね」など、深くうなずいたりして肯定的な反応もしてはいけません。悪口を言ったのと同じことになります。特に職場仲間の悪口は気を付けましょう。悪口を耳にしたときは、話題を変えるなどし、もしできない場合は席をはずしましょう。園や施設は職員数が少ないため、人間関係がくずれると仕事がしにくくなるだけでなく保育にも影響が出ます。人の悪口を言わないというマナーを守り、保育者同士のよい人間関係の中で保育できるように心がけましょう。それが、子どもの最善の利益を守ることにもつながります。

保護者との関係とマナー

保護者にも実にいろいろな人がいます。保育者として、保護者との関係のマナーも十分気を付けたいものです。以下にまとめましたのでしっかりと確認しておきましょう。

① 友達関係にならない

保護者と保育者は友達ではありません。親しさや信頼関係は大切ですが、なれなれしい友達のような関係はマナー違反です。

保育者は、子どもの手本となる言葉づかいや子どもへの声かけ、親しさや信頼関係の築き方などもモデルとして保護者に示していきましょう。

② さまざまな保護者への柔軟な対応

少子化や核家族化の中、子育てを親だけで行わなければならず、相談などをする相手がいない家庭が増えています。そのため多くのストレスや悩みを抱えている保護者がいます。園と家庭での保育をつなげるためにも、保育者と保護者の良好な関係作りはとても重要です。

よい信頼関係を作るためには日常のていねいなかかわりの積み重ねが大切です。さまざまな保護者がいる中、子どもと同様、一人一人に合わせたていねいなかかわりが基本といえるでしょう。せっかく築いた信頼関係も不用意な一言でくずれてしまうこともあります。そのようなことのないよう保育者としてのマナーをしっかりと身に付け、保護者との関係構築に努めるようにしましょう。保護者の話をよく聞き（傾聴）、相手の言いたいことを「○○と考えていらっしゃるのですね」など整理するように返していくと、自分の気持ちを理解してくれたと安心したり、自分自身で問題を解決できたりすることも多いものです。相手を非難しないこと（非審判的態度）、相手の気持ちを受け止めること（受容）は保護者支援の基本です。

column　多様化する保護者

近年「モンスターペアレント」と呼ばれる親が問題となっています。相手のことより自分や自分の子どものことが第一になってしまい、まわりが見えず、自分を中心に考えてしまう保護者たちのことです。また最近では、うつ病や統合失調症など、保護者の精神的な病気を理由に保育所に入所するケースも増えてきています。

しかし、このような対応のむずかしい保護者も、実は保護者自身が混乱をしていたり、悩みを抱えたりしていることが多く、支援を必要としています。幼稚園や保育所、認定こども園の行う支援は子どもだけではなく、保護者も含んだ家族支援です。保護者の話をしっかりと聞き、信頼関係を構築しながら、少しずつ園での対応や子どもについて伝えていくようにすることが必要です。保護者の精神状態の安定を図りつつ、子どもを守ることを一番に考えながら、保護者を支援していくことが大切です。保育者と家族が話し合えるよい信頼関係を築いていくことが求められます。

オリエンテーションまでの準備

実習を行うにあたり、事前に園を訪問し実習担当の保育者にオリエンテーションを実施していただきます。オリエンテーションは実習園の保育者との初めての出会いの場であり、実習生の第一印象を決める大切な場です。ここでは、オリエンテーションのアポイントの取り方、事前に確認しておくべき内容と当日の服装や持ち物について確認しましょう。

オリエンテーションのアポイントの取り方

オリエンテーション実施の際には、実習生が直接園に電話を入れ日程を相談します。そのため、オリエンテーションの実施可能な候補日をあらかじめ調べてから電話をかけます。

候補日は養成校の授業や試験などの日時と重なる場合はやむをえませんが、友人との約束などの個人的な都合を優先しないようにしましょう。

① 養成校名、学年、氏名、実習期間、要件を伝え実習担当の保育者を呼び出してもらう。

まず、自分がだれで、何のために、電話をかけているのかをはっきりと伝えます。実習担当の保育者が不在の場合には、担当者につながる日時をうかがい、実習生が電話をかけ直しましょう。担当者に電話を折り返しかけていただくことのないようにします。

② 実習担当の保育者にオリエンテーションの日時、持ち物などを確認する。

実習担当の保育者に電話がつながったら、改めてオリエンテーションの実施を依頼しましょう。実習園からこちらの都合を聞いていただくまでは、自分の都合を伝えることは控えましょう。また、オリエンテーション時に持参するものについても確認しておきましょう。オリエンテーションの日時が決定したら復唱し、聞き間違いがないかどうか確認します。電話を切るときには、こちらが先に電話を切ることのないよう、相手が電話を切るのを待ってから切りましょう。

アポイントの取り方については、Part 2「さまざまな会話例」(p.72 ～ 73 参照)に具体的に掲載していますので事前に十分練習しておきましょう。

> **POINT**
>
> **電話をかける時間帯は？**
>
> 忙しい朝夕の登園、降園時は避け、幼稚園なら 14 時から 16 時くらいの間、保育所なら午睡の時間にあたる 13 時から 15 時くらいの間にかけるようにします。

事前に確認しておくオリエンテーションの内容

オリエンテーションでは、実習を行うにあたり確認しておきたい事項がたくさんあります。確認し忘れると実習をスムーズに行うことができませんので、事前に調べることができるものはホームページ等で調べておくとよいでしょう。その場合もオリエンテーション時に確認します。また、そのほかにも確認したいことがあれば事前にメモとしてまとめておきましょう。

✓ 園について	園の教育（保育）方針、教育課程や全体的な計画、職員数、各年齢のクラス名・在籍数など
✓ 子どもについて	子どもたちの日常の様子や遊びなど
✓ 実習内容	出退勤時刻、責任実習や部分実習の実施日・回数、実習クラス（人数）
✓ 服装・持ち物	実習日誌、通勤時および実習中の服装、持ち物（p.40～41参照）、食事（弁当、給食）、費用（実習にかかる給食費・宿泊費・資料代など事前に確認しておくこと）
✓ 準備する物	教材、指導案、教育法に関する予備知識、園で日常的にうたっている歌およびピアノ（伴奏）など
✓ そのほか	着替えの場所、下足入れ、通勤方法、園内環境、そのほか注意事項など

オリエンテーション時の服装と持ち物

オリエンテーション時の身だしなみは就職活動にも共通します。保育学生としても、社会人としてもふさわしい身だしなみを準備しておきましょう。髪型やメイクについては、「実習中の髪型・メイク」（p.31参照）と同様です。また、オリエンテーション時に必要な持ち物についても事前にしっかり確認し、当日、忘れ物がないようにしておきましょう。

オリエンテーション時の服装と持ち物

服装：男性
黒、紺またはグレーの無地のスーツ、ネクタイ、アイロンをかけた無地の白シャツを着用します。

服装：女性
黒、紺またはグレーの無地スーツ、アイロンをかけた無地の白シャツ、ストッキングを着用します。パンツスタイル、スカートどちらでもOKです。

アクセサリー　爪・香り
爪は短く切り、マニキュア、香水などは付けないようにしましょう。
ピアス、ネックレス、指輪などのアクセサリーは一切、身に付けないようにしましょう。

バッグ
バッグは男女共黒の革、床においたときに立つものがよいでしょう。ブランドバッグや装飾品が付いたバッグ、布のトートバッグ、リュック等は避けましょう。

オリエンテーション時の持ち物
筆記用具（ペン・鉛筆・消しゴムなど）、
メモ帳、実習日誌、上履き（清潔なもの）、
ハンカチ、ティッシュ、
事前に実習園から指定された持ち物

靴：男性
黒い革靴を着用します。スニーカーはNGです。靴下も着用しましょう。

靴：女性
黒い革のパンプスを着用します。かかとは5㎝以内とし、ピンヒールは避けましょう。ヒールの高すぎるもの、装飾品が付いているもの、スニーカーはNGです。

オリエンテーション当日

訪問時に気を付けたいポイント

いよいよオリエンテーション当日です。園の訪問時に特に気を付けたいマナーについて、しっかりと確認しておきましょう。

・実習園の門扉にインターホンがある場合には、まずインターホンを押して名前と要件を伝えましょう。門扉を開錠した場合には、園内に入ってから必ず施錠しましょう。

・園内に入る前には、必ず携帯電話の電源を切るようにしておきます。

・インターホンがなく玄関にも職員がいない場合には、近くにいる職員にオリエンテーションのために来園したことを伝え、無断で室内に上がることのないようにしましょう。また、出会った職員、保護者、子どもたちには挨拶をしましょう。

・実習園でスリッパを借りることのないよう、上履きを持参しましょう。

オリエンテーションでは、前頁で確認した実習で必要な内容について、もれのないようにしっかりとうかがい、必ずメモを取りましょう。

POINT

間に合わない場合には？

約束の時刻になる前に実習園に謝罪の電話を入れ、遅刻の理由と到着予定時刻を伝えましょう。

コートを脱ぐタイミングは？

コートなどを着用している場合には、園内に入る前に脱ぎ、たたんで手に持って入ります。帰り際も同様に、園を出てから着用しましょう。

忘れがちなマナー

バッグは床におく、メモを取りながら話を聞く、消しゴムを使用したあとの消しカスはティッシュに包んで持ち帰る、席を立つ際には椅子を元の位置に戻す、これらを忘れないようにしましょう。

帰り際に気を付けたいポイント

オリエンテーションが終了すると緊張がとけた安心感から、つい忘れてしまいがちなマナーについても確認しておきましょう。

・オリエンテーションを終えたら、お礼を述べて帰ります。

・門扉に鍵が付いている場合には、安全のため必ず元の通り施錠します。

・実習園の外でも、保護者や職員、近隣の方々の目があることを意識し不満や愚痴などの言動は厳禁です。また最寄りの駅に到着するまでは携帯電話の使用も控えましょう。

実習中の髪型・メイク

子どもと生活を共にする保育者や実習生は、保育中の髪型やメイクなどにも気を付けなければなりません。たとえば、子どもを抱いたとき、長い髪をおろしているとどうなるでしょう。髪が子どもの目の中に入ったり、赤ちゃんが髪を引っ張ったり、口に入れたりすることが十分に予想されます。

このように、保育の場に身をおく場合には、安全で衛生的な服装をすることが求められます。ここでは、実習生としての髪型とメイクについておさえておきましょう。

実習中の髪型・メイク

髪は染めずに、前髪は目にかからない長さにします。子どもの目に入ったり、食べ物にかかったりしないよう、長い髪は後ろに一つにまとめて結ぶかアップにしましょう。後れ毛やもみあげの毛が乱れる場合は、無香料のヘアワックスなどを用いまとめましょう。

髪は染めずに、顔にかからない長さで奇抜なヘアスタイルは避けましょう。もみあげや襟足は短めに整えましょう。

ひげは毎日そります。そり残しのないように気を付けましょう。

POINT

女性はナチュラルメイクを心がけよう！

ファンデーションと眉毛は濃すぎないように気を付けましょう。チーク、アイシャドウ、アイラインは控え目に、マスカラを付ける場合にはボリュームの出すぎない程度にします。つけまつげ、まつげのエクステはもちろんNGです。汗で目のまわりが真っ黒に……ということのないようにしましょう。

POINT

清潔感を大切にしよう！

ひげのそり残しや寝ぐせのあるヘアスタイルなどで出勤することのないように気を付けましょう。また、ピアスなどアクセサリーや奇抜なメガネの着用もNGです。眉毛を整える際も細くなりすぎないように注意しましょう。清潔感を大切にしましょう。

※感染症流行時など、マスクを着用して子どもに接する場合、笑顔や表情が見えず、子どもに緊張感を与えることがあります。目などの表情で「楽しいね」「気持ちいいね」といった気持ちを伝えることを意識して、身振り・手振りや声かけ、声の抑揚を変えるなどを交えて表現が豊かになるように工夫しましょう。

実習中の服装・身だしなみ

普段の学生生活とは異なり、実習中の服装にはさまざまな配慮が求められます。自分の好みやこだわりではなく、「子どもにとってどうか」という視点から、保育の場にふさわしい服装をすることが必要です。通勤時や実習中の服装は実習園の指示に従う場合がありますが、ここでは最低限守るべき基本的な服装・身だしなみのルールを確認しましょう。

通勤時の服装

実習時の服装で通勤する場合と、衛生面などへの配慮から園に到着後に実習用の服装に着替える場合とがあります。いずれの場合も通勤時は清潔感のある動きやすく親しみやすい服装を心がけましょう。ただし、実習園によってはスーツを着用する場合もありますので、事前にしっかりと確認しておきましょう。

実習中の服装・身だしなみ

実習中は、乳幼児の子どもたちの生活の場に参加させてもらうことになります。実習中の身だしなみとして、まず下記のポイントをしっかりと頭に入れておきましょう。また、実習中は実習園からの指定服（キュロットや職員着用の制服等）がある場合もあります。

POINT

安全で衛生的であること

保育の場は子どもの生活の場です。特に保育所には床を這ったり何でも口に入れたりする乳児もいます。長すぎるズボンでゴミや砂を室内に持ち込んだり、長い爪やアクセサリーを身に付け子どもと接触したらどうなるでしょう。子どもを傷付けたり、誤飲の危険はないかを常に確認しましょう。

動きやすい服装であること

保育場面では、子どもと一緒に体を動かして遊んだり、食事の配膳や午睡、排泄等の生活全般の援助を行います。そのため、保育に支障のない動きやすい服装であることが必要です。ただし、動きやすいからといっても胸元が大きくあいたシャツやショートパンツなど、肌の露出の多い格好は禁物です。

明るく親しみやすいこと

子どもたちの生活の中に一時的に参加させてもらうことを踏まえ、圧迫感を与えるような真っ黒な服装や迷彩柄の服装、ゴールドやシルバーなどの派手な服装は避けましょう。白やパステルカラーなどのやさしい色合いやベージュなどの落ち着いた色合いのものを選ぶとよいでしょう。

column　実習用の名札について

実習中に着用する名札は、硬くて尖ったものよりも、安全で温かみのあるフェルトなどで手作りすることが望ましいでしょう。動物や季節の花などをモチーフにすると親しみやすく、子どもたちとの関係作りのきっかけにもなりますので、オリジナルの名札を作ってみましょう。その際、安全面から安全ピンを避け、クリップや両面ファスナーなどの留め具を使うようにしましょう。

実習中の服装

ひげは毎日そりましょう。

誤飲や子どもの肌を傷付ける危険性があるのでアクセサリーは一切身に付けてはいけません。

髪は染めず、前髪は目にかからない長さで、長い髪はゴムで結びましょう（p.31 参照）。

安全性、衛生面から爪は短く切り、マニキュア、香水などは付けてはいけません。

襟のあるポロシャツ、Tシャツ、トレーナーなどを着用します。長袖の場合は手首が出るようにします。必要な場合にはエプロンを着用します。

裾が床に付かない長さ、糸がほつれていないチノパンや運動着など園の指示に従いましょう。ジーンズは禁止されていることが多く、しゃがんだときにお尻が見えるような股上の浅いものは避けましょう。

靴は室内用、戸外用の２種類を準備します。ハイカット、クロックス、サンダル、装飾品が付いているものは避けましょう。かかとを踏まないようにしましょう。

覚えておこう

靴の脱ぎ方

訪問先で玄関に上がるとき、どのように靴を脱ぎ、どこにおいたらよいでしょう。実習オリエンテーションや就職活動にも共通する下記のマナーをしっかり身に付けておきましょう。

①前を向いたまま靴を脱ぎ、玄関に上がる。脱いだままはNG！

②しゃがんで靴をそろえ、向きを直す（相手にお尻を向けないよう気を付ける）。

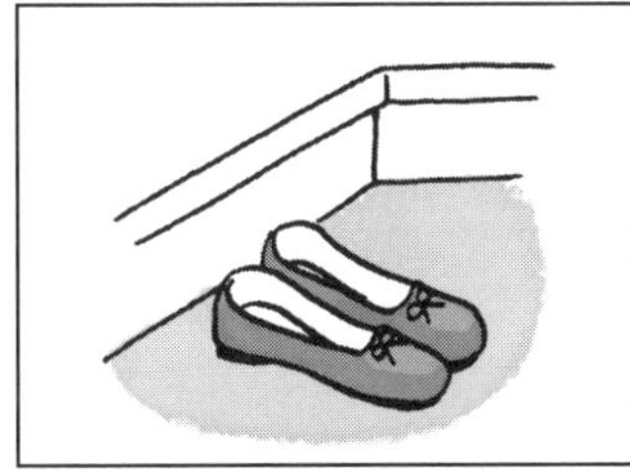

③玄関の端に寄せる。あるいは下足入れに入れる。ほかの人の靴が乱れている場合も同様に！

実習生の一日①──保育所の例

ここでは、保育所における実習生の一日の活動の一例を見てみましょう。なお、幼稚園や認定こども園では午睡がないことや降園時間（たとえば、幼稚園は14時ころが多い）の違い、保育時間の違いはありますが、基本的な保育内容は共通しています。

実習は、まず出勤して出会った保育者や園職員、保護者、子どもたちへの挨拶から始まります。実習生に対して、たくさんの子どもたちが「だれ？」「どこのお姉さん？」「遊ぼう」など、声をかけてくれることでしょう。しかし、実習生にはすべきことがたくさんあります。書類の提出、出勤簿への押印、朝礼での自己紹介と挨拶等、指示のあった事柄について忘れることのないようにしましょう。

蝶結び

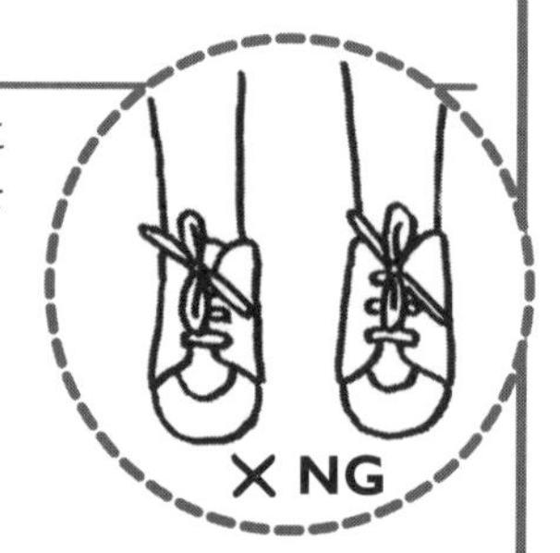

保育実習では、多くの場合エプロンを着用します。後ろ手できれいに蝶結びができますか？　また、向かい合った状態で、子どもの靴ひもを蝶結びにできますか？　ここで、正しい結び方を確認しておきましょう。

<結び方>

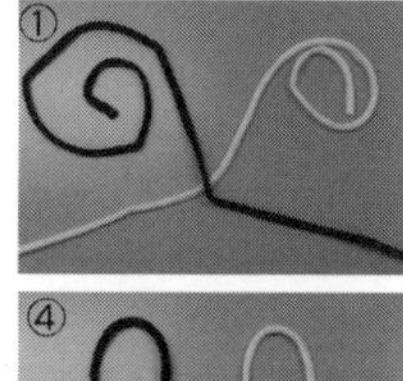

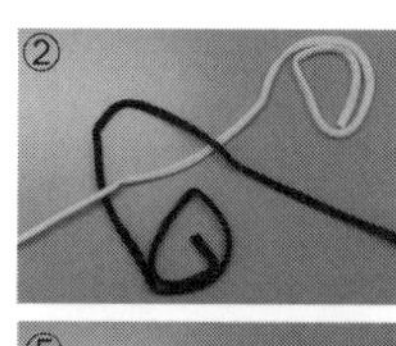

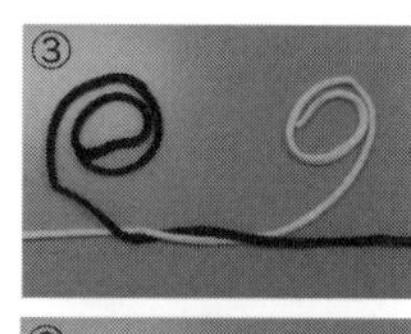

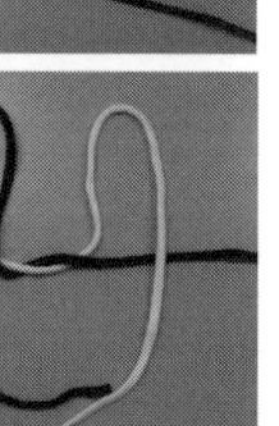

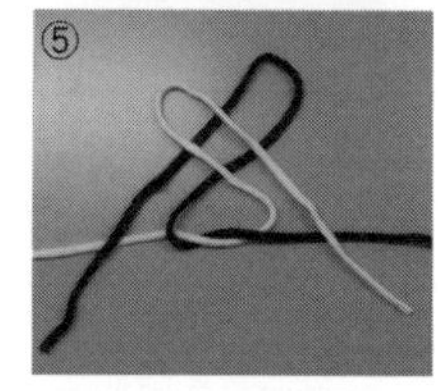

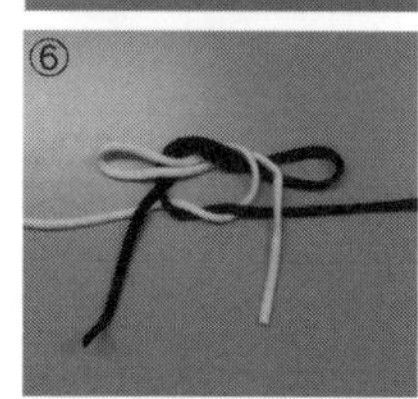

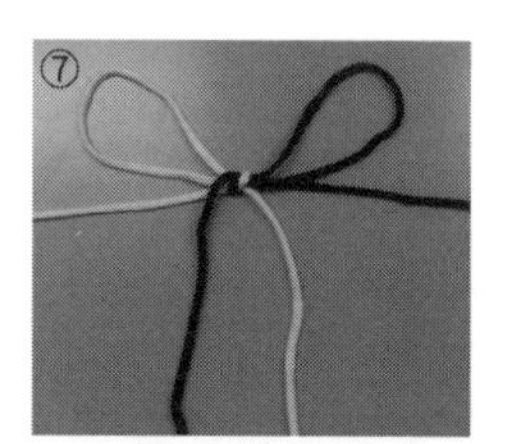

column　**実習生がいなくなった⁉**

実習中は、少しの間であっても保育室や活動の場を任されることがあります。慣れない実習ですので、実習中に「絵本や帽子をロッカーに忘れてきてしまった」ということもありますし、「トイレに行きたい」など、持ち場を離れなければならない状況も当然起こるでしょう。

そんなとき、まず「離れている間に子どもが怪我をしたら？」と考えてみましょう。そして、保育者が戻るのを待ってから、用件を伝えて行きましょう。また、その場に保育者がいる場合であっても、「トイレに行ってきます」など、一声かけてから出かけるようにしましょう。こうすることで、「実習生が勝手にどこかへ行ってしまった」という誤解も避けられます。

ある保育所での実習生の一日 ― 4歳児クラス

子どもの活動	時間	実習生の活動
○順次登園	8：00	出勤 ・出勤簿の押印、実習日誌の提出 ○登園してきた子どもたちと遊ぶ。
○合同保育室から各クラスへ移動する。 ○排泄、手洗いをする。 ○クラスの子どもたちが全員集まるまで、実習生と手遊びをする。	8：30	○子どもたちと保育室に移動する。 ○排泄、手洗いの援助を行う。 ○排泄、手洗いを終えた子どもたちと手遊びをしながら、全員が集まるのを待つ。
○朝の会	9：00	○ピアノの伴奏をする。
○園庭や保育室で好きな遊びをする。	9：20	○園庭や保育室で、子どもたちと遊ぶ。
○手洗い、うがい、排泄をすませて保育室に入る。 ○昼食準備	11：00	○子どもたちに片付けるよう声をかける。 ○片付けを終えた子どもたちに手洗い、うがい、排泄をするよう声をかける。 ○給食を保育室に運び、昼食の準備をする。
○昼食	11：30	○子どもたちと昼食を食べる。
○昼食を終えた子どもから食器を片付ける。 ○歯磨きの後、排泄をすませパジャマに着替える。	12：00	○食器を片付け、午睡用のゴザを敷く。 ○食事のテーブルを片付け、床を掃除する。 ○着替えの援助を行う。 ○絵本の読み聞かせを行う。
○各自、布団を敷く。 ○絵本を見る。 ○午睡	12：30	○カーテンを閉め、午睡の環境を整える。 ○子どもたちを入眠に誘う。 休憩
	14：00	○トイレ清掃、絵本の修繕、教材準備を行う。
○起床 ○布団を片付け、排泄、着替えをする。 ○手洗いをして、おやつの準備をする。	14：45	○カーテンをあけ、子どもたちを起こす。 ○子どもたちに布団を片付けるよう声をかけ、ゴザを片付ける。 ○テーブルを出し、おやつの準備をする。
○おやつ	15：00	○子どもたちとおやつを食べる。
○食器を片付け、降園準備をする。	15：30	○テーブルを拭き、床を掃除する。食器を片付ける。
○降園準備を終えた子どもから、室内で好きな遊びをする。	15：50	○降園準備の援助を行う。
○片付け・合同保育室へ移動 ○順次降園	17：00	○片付けをして合同保育室へ移動するよう促す。 ○保育室を掃除する。
	17：30	・翌日の実習担当の保育者への挨拶、準備する物の確認、退勤の挨拶 退勤

column 安心できる午睡への配慮

多くの保育所では午睡の時間を設けています。（年長児や年中児は小学校生活への移行を意識し行っていない場合もあります）。実習中には午睡の準備にかかわることも多いものですが、その方法は園によってさまざまです。たとえば、布団を敷く園もあれば、コットやベッドを使用する園もあります。また、午睡の時間や場所を決めていない園もあります。午睡の準備については各実習園のやり方に従いますが、いずれの場合も子どもたちが安心して休息を取れるように、上から物などが落ちてくるようなところで眠っていないか、スペースが狭すぎないか、頭と頭がぶつかるような間隔で眠っていないかなどを確認するようにしましょう。

実習生の一日②──児童養護施設の例

保育士資格を取得するためには、保育所だけではなく他の児童福祉施設での実習が必要です。たとえば、乳児院、児童発達支援センター、児童養護施設などが実習先としてあげられますが、多くが宿泊を伴う実習です。その場合には、自分自身の日ごろの生活態度全般が実習に現れることになり、生活力が非常に求められます。

ここでは、児童養護施設における一日の実習内容を紹介しておきます。これらの実習内容を通して、どのような生活技術やマナーが必要か、自分なりに考えてみましょう。

覚えておこう

シーツの使い方・布団のたたみ方

宿泊型実習の場合、布団を借りて生活することになりますが、シーツと布団一式を渡されたとき、正しく布団を敷くことができますか？ 実習先から、「実習生に貸し出した敷き布団のシーツが未使用のまま返却された」という話をときどき耳にします。また、実習生の居室には教材や物品などが保管されていることも多く、施設職員が出入りします。“布団を終日敷きっぱなし”ということのないようにしましょう。

<シーツの使い方>

<布団のたたみ方>

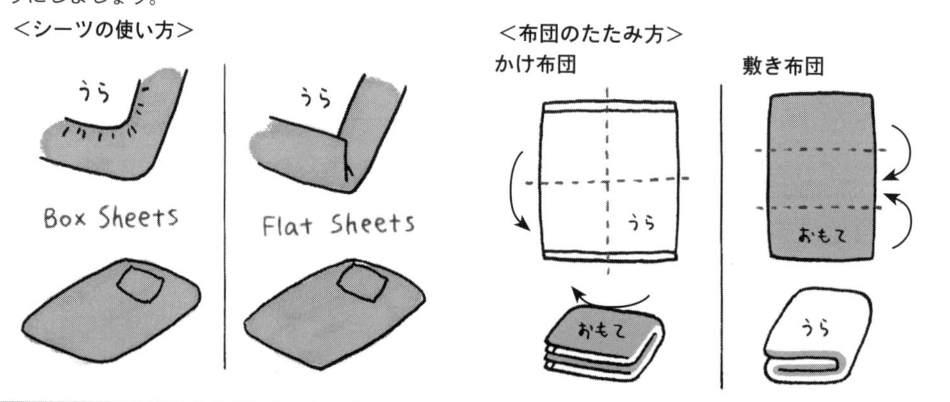

column 感染予防

園や施設では多くの子どもたちが生活を共にしており、感染症に対する予防や対応を怠ると、他の子どもたちに広がってしまいます。そのため、実習中には「感染の予防」を常に意識しておかなければなりません。特に、幼稚園や保育所、認定こども園では感染症にかかった子どもは欠席して自宅で静養することになりますが、24時間子どもたちが生活している施設ではそうした対応はできません。そのため、感染症にかかった子どもが出た場合には、感染防止のために極力他の子どもとの接触を避ける工夫が求められます。また、実習生自身が体調が悪くなった場合には、無理をせず、体調について速やかに保育者に伝え、指示を仰ぐようにしましょう。感染予防のための取り組みは園や施設によって異なりますので、実習先の指示をしっかりと守り対応しましょう。

宿泊を伴うある児童養護施設での実習生の一日

子どもの活動	時間	実習生の活動
	5：30	起床、身支度
○起床・身支度	6：00	出勤 ・出勤簿の押印、実習日誌の提出 ○児童居室をまわり、子どもたちを起こす。
○担当場所の掃除をする。	6：30	○幼児室の掃除、トイレ掃除をする。
○朝食準備	6：45	○朝食の準備、配膳を行う。弁当の準備をする。
○朝食	7：00	○子どもたちと朝食を食べる。
○食べ終えた子どもから食器を片付ける。 ○登校・登園準備	7：20	○テーブルを片付け、食器を洗う。
○小学生・中学生・高校生、順次登校	7：40	○玄関で子どもたちを見送る。 ○階段、浴室の掃除を行う。
○幼児登園	8：20	○職員と共に幼稚園まで幼児を送る。
	9：00	○玄関、トイレ、児童居室の掃除を行う。
	9：30	○子どもたちの衣類を洗濯する。 休憩（実習日誌の記入、休息）
○幼児降園	14：00	○職員と共に幼稚園まで園児を迎えに行く。
○幼児帰宅 ○手洗い、うがい、所持品の始末 ○好きな遊びをする。 ○小学生順次帰宅	14：30	○手洗い、うがい、所持品の始末を援助する。 ○洗濯物を取り込む。 ○弁当箱を洗う。
○おやつ ○所持品の始末、着替えを終えた子どもから宿題をする。 ○宿題を終えた子どもから好きな遊びをする。 ○中学生・高校生順次帰宅	15：00	○おやつの準備をする。 ○子どもたちの学習指導 ○洗濯物をたたむ、アイロンがけをする。 ○浴槽にお湯をためる。
○各自の担当場所を掃除する	17：30	○床、テーブルを拭き、夕食の準備を行う。
○夕食 ○食べ終えた子どもから片付け、中学生・高校生は宿題をする。	17：50	○子どもたちと夕食を食べる。
○幼児から順に入浴をする。 ○各自、好きな活動をして過ごす。	18：15	○幼児の着替えを準備し、入浴介助を行う。 ○宿題を終えていない子どもの学習指導をする。
○各自の居室に戻る。	19：30	○居室に戻るよう声をかける。
○布団を敷き、歯磨きをする。	20：00	○居室をまわり、点呼をとる。
○就寝	21：00	○就寝するよう声をかける。 退勤 ・入浴、実習日誌の記入

保育の場で気を付けたい所作

幼稚園や保育所、認定こども園では、子どもの命を預かっています。特に、保育所では0歳からの子どもが生活しており、さまざまな配慮が必要です。ここでは、保育の場で気を付けたい所作について確認していきましょう。

保育の場におけるさまざまな配慮

保育の場には、子どもたちが安全に生活を送ることができるよう、さまざまな配慮がなされています。たとえば、園の門扉には鍵がかけられています。これは、子どもが道路に飛び出して事故にあうことのないようにするためです。また、乳児クラスのドアにはクッション材が貼られている場合があります。子どもが指を挟んでも大事に至らないようにするためです。

このように、園内ではさまざまな配慮からルールが設けられており、それぞれ理由があり保育者の意図があります。安全管理や事故防止のために、自分にできることはどのようなことでしょうか。また、守らなければならないルールとはどのようなことでしょう。実習中は、常にこのことを考えながら行動するようにしましょう。あわせて、下記の点には十分留意しましょう。

椅子や机などを運ぶときは、周囲をよく確認する。

足下に子どもがいる場合には、子どもの頭の上で作業をしない。

乳児の手の届くところには、誤飲の危険があるものをおかない。画びょうなどの取り扱いには十分気を付ける。

座るときは子どもの足が引っかからないように。

column **大好きな実習生を追いかけて……**

２歳児クラスで実習中のＢさんは、これから読むはずの絵本を更衣室に忘れてきたことを思い出しました。慌てて更衣室に向かおうと保育室のドアを開け、閉めた瞬間に子どもの泣き声が！　大好きなＢさんのあとを追って、ついてきた子どもの指をドアで挟んでしまったのです。どんなに急いでいるときでも周囲の安全確認は大切です。

保育の場における立ち位置

保育中は、どのような位置にいたらよいでしょう。常に、子どもたち全体が見渡せる位置にいることが大切です。実習中には保育者がどこにいるのかをよく見て、保育者と重ならないよう、自分の立ち位置を考えましょう。

壁のほうを向いては、子どもたちの様子が見渡せません。

保育室の端（部屋の四隅）など、子どもとかかわりながらも、子どもの遊びの様子全体が見渡せる位置で保育を行いましょう。

column **自分の荷物は大丈夫？**

実習園には、必ずしも実習生が使える更衣室やロッカーがあるとは限りません。実習クラスにバッグを持ち込むことも多いものです。０歳児クラスで実習中のＣさんは、朝保育室に行ってみると泣いているＹちゃんを見付けました。床に荷物をおいてＹちゃんを抱き上げ、泣き止むようあやしています。しばらくして、保育室内を見ると、あちこちに自分の持ち物が散乱しています。床においたバッグに興味を持った子どもたちが、次から次へと中身を引っぱり出していたのです。周囲には、ペンをくわえて歩いている子どもも……。くわえたまま転倒したりほかの子どもの目に入ったりしたら大変です。保育室内に荷物を持ち込むときには、子どもの手の届かないところにおき、しっかりと管理しましょう。

保育の場での持ち物

保育の場で必要な持ち物についてまとめましたので、事前にしっかりと確認しておきましょう。

持ち物の種類

実習の際に持参する持ち物には大きくわけて3つあります。

① 保育とは直接関係はないが必要な物

通勤などの行き帰りの服装や持ち物についても考えて確認しておきましょう。

② 保育中の服装に関する物

衣服やエプロン等の着替えは必ず用意しましょう。保育室に持ち込まずロッカーなど指示のあった所定の場所へおかせてもらいましょう。実習生の着替え等の持ち物が保育の妨げにならないよう、また子どもとの遊びや生活の中で汚れてしまわないようにするためです。

③ 保育中に必要な物

筆記用具やメモ帳、ハンカチ、ティッシュなどポケットに入れておく物や、責任実習などで保育に使用する絵本や紙芝居など、保育中に必要な物の準備が必要です。天候や季節によって必要な物や実習園から指示を受けた持ち物などについても事前に準備しておきましょう。

事前にしっかりと準備しよう

① 学内の実習オリエンテーションで確認

養成校での学内のオリエンテーションで実習に持参する基本的な持ち物・提出物を確認しましょう。

② 実習園のオリエンテーションで確認

自分が実習を行う実習園で必要な持ち物・提出物などがないか、オリエンテーションで事前に確認しましょう。

③ 実習前に最終確認

実習前日、当日にも最終確認をしましょう。天候によって持参する物が変わることもありますので、前日までに準備をし、当日も再度確認しましょう。

① 保育とは直接関係はないが必要な物

※ 携帯用消毒液などもあると衛生面でも安心です。

※ バッグは高価なブランド物は避け、持ちやすく機能的な物を使用しましょう。

② 保育中の服装に関する物

● 保育用の服装、エプロン

※ 食事配膳時などに使用するマスクなどの用意を求められる場合もあります。事前に確認しておきましょう。

※ 保育中の服装は、パーカーはNGです。フード部分が引っかかったり危険です！

● 汚れたときのための着替え（衣服・エプロン）

※ 幼稚園などではエプロンの着用が不可の園もありますので、事前にしっかり確認しましょう。

※ ロッカーが使用できるか、また貴重品はどこにおけばよいかをオリエンテーションで確認しておきましょう。

③ 保育中に必要な物

● エプロンなどのポケットに入れ身に付けておく物

● 保育室におかせてもらう物

※ 電子辞書やミニ辞典があると便利！

● 上履き

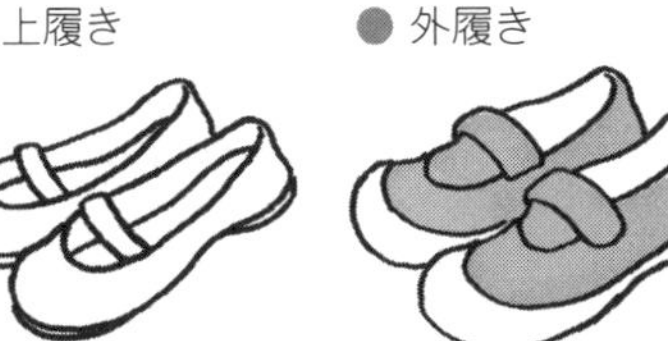

底のやわらかな靴。万が一、何かを踏んでしまっても痛くなく、室内も傷付けない。

● 外履き

靴紐がほどけない物で華美でないもの。ヒールや革靴などは絶対 NG！

● 責任実習に必要な物

● 天候や季節によって持参したい物

● 保育内容によって持参したい物

プールなどの活動のある時期の実習の場合には、水着（女性は動きやすいスポーツ用のワンピースタイプ）やタオル、上から着るTシャツや短パンなどを用意しましょう。

● 園によって必要な物

そのほか必要な物はないかな？

さまざまな出来事への対応

実習前や実習中には思いもかけないことも起こるものです。服装や持ち物の準備・確認のほかにも、以下のようなことも事前にしっかりとチェックしておきましょう。

風邪や感染症などにかかったら

質問 実習中に実習生自身が、風邪や感染症にかかった場合はどうしたらよいでしょう。

回答 病気の症状を実習園と養成校に伝え相談しましょう。前もって園と養成校の緊急の連絡先の電話番号などを控えておくとよいでしょう。自分の勝手な判断で休むことのないように気を付けましょう。また風邪などの場合、実習期間のすべてを休むことなどないよう、体調が回復したら途中からでも実習が再開できるように調整を養成校に相談の上、実習園にお願いすることになります。

近年では新型コロナウイルス感染症（COVID-19）やインフルエンザなどの感染症の流行時は特に注意が必要です。実習中に発熱など感染症の疑いがある場合には、すみやかに実習園と養成校に連絡を入れ相談し必要に応じて医療機関を受診します。医師の判断等により実習を欠席しなくてはならない場合は、実習園に実習を中断することをお詫びし、その後、実習を再開できるかどうか、再開するためには必要な書類等はあるかなどの指示も含め、養成校を通して判断を仰ぎましょう。養成校や実習園の指示に基づいた書類（医師の治癒証明書や決められた書類（必要な検査結果や健康を示す書類））等の提出や感染症によっては一定の療養期間を求められる場合もあります。治癒後、所定の療養期間を過ごすなどし、必要書類を用意・提出した上で実習を再開します。

このように実習中に風邪などの病気や感染症にかかることで実習園に迷惑がかかる上、対処なども大変です。日ごろから帰宅後の手洗いやうがいを心がけ、生活習慣などを整えておきましょう。実習前には事前に感染症の抗体検査や予防接種を考えるなど、実習中に病気にかからないための対策をとることが一番大切です（p.22参照）。

実習中に悪天候の予報を聞いたら

質問 実習中にニュースで「明日は雪」の予報が……どんなことに気を付けたらよいでしょう。

回答 悪天候で交通機関の遅延が予測されるときは早めに起きて出かけられるように前日より準備しましょう。雪の場合は園に到着したら、登園してくる子どものために、室内を暖めたり園周辺の雪かきを率先して行いましょう。

また、園の保育内容が急に雪遊びになる可能性もあります。部分実習や責任実習がある日の場合も実習生として可能な限り、雪を意識した保育内容を取り入れることができるとよいでしょう。月刊や季刊に発刊されている絵本などを活用すると部分実習の内容にも取り入れやすいでしょう（次頁コラム参照）。また、持ち物も雪かきや雪遊びの可能性を考慮して、スノーブーツや手袋の準備、濡れた場合の着替えやタオルの用意も多めに必要です。

column 保育絵本などを実習で活用

園の子どもたちに読んで伝えたい絵本や物語はたくさんありますが、月刊や季刊として乳幼児の年齢に合わせた保育絵本も実習に活用できます。子どもたちは各年齢の発達に合わせて季節の行事や昔話と出会ったり、日々の生活習慣を楽しくわかりやすいイラストで学ぶこともできるでしょう。生活や保育・教育の多様な場面に応じ安価に購入できるものも多く、書店やインターネットなどで調べておくとよいでしょう。

写真提供：
『ワンダーえほん』世界文化社

保育絵本『ワンダーえほん』

ものがたり「ねずみかぞくのおぞうに」でお正月を知り、楽しみになる

「トイレに行きたくなったとき」の様子を絵本を通して伝える

宿泊を伴う施設実習で忘れ物をしてしまったら

質問 施設実習など宿泊のある実習で忘れ物したらどうしたらよいでしょう。

回答 宿泊を伴う施設実習では、何か困ることがあったり、調べたい内容があっても簡単に自宅に取りに帰ることはできません。そのため宿泊を伴う実習では忘れ物がないように気を付けましょう。忘れ物をした場合は、施設職員と養成校にすぐ相談し、実習に支障のない時間帯に取りに戻る、家族や友人に郵送してもらうなど、きちんと許可を得た上で対応しましょう。また、身近な人には相談しにくい環境のため、参考書籍などを持参することもよいでしょう。

ここに取り上げた事柄のほかにも突発的に起こる事柄は多くあります。起こった事態の前後にはどのようなことが起こるかを冷静に考え、あせらず対応していきましょう。

column 地球資源を大切に

ごみを出さない、限られたエネルギー資源の配慮など、地球環境を考えた保育を取り入れている園は多くあります。園内だけではなく地域の資源ともなる廃材や不要になった紙類の切れ端などの端材を積極的に利用するなど、教材の一部として日ごろから保存し有効活用しています。かごなどに仕分けし子どもに自由に使えるようにしているところもあります。園で処分しなければならないものが出たときには地域の資源ごみになるようリサイクル処分としましょう。

近年は、SDGs（Sustainable Development Goals：持続可能な開発目標、2015）への取り組みが世界でも注目され、日本でも取り組まれています。これらの目標の中でも地球資源の大切さがうたわれています。使い捨てをしない、物を大切にする意識が子どもたちに育まれてほしいものです。

エコロジーの観点からも廃材などを利用した製作活動を多くの園で行っています。実習でも牛乳パック等を使った製作活動なども考えられます。廃材もすぐに集めることはできませんので、実習前から準備しておくとよいでしょう。

保育者への質問の仕方

実習では初めての体験や保育者の子どもへのかかわり方で「なぜ？」と思うことも多くあると思います。そのようなときには保育者に積極的に質問したいものです。忙しい保育者への質問はどのようなことに気を付けたらよいか確認していきましょう。

保育者への質問のポイント

実習は貴重な経験の場です。わからないことや疑問に思ったことは積極的に保育者に質問するようにしましょう。また、何か気になることは必ず報告をすることも忘れないようにしましょう。実習生が前向きに質問や報告を行うことによって、保育者との信頼関係が深まり指導も受けやすくなるものです。

POINT

保育者への質問のタイミングは気を付ける

保育者が忙しくしているときなどは質問は避けましょう。子どもたちの降園後や午睡の時間などに質問するようにしましょう。

質問内容は簡潔で具体的に

保育者の保育の合間に質問をするため、質問内容は簡潔にまとめ具体的にするようにしましょう。

「報告」のタイミングも質問のチャンス

頼まれた仕事などが終わったら「おわりました」と報告し、勝手に休憩に入ることのないようにしましょう。このような仕事の変わり目などのタイミングも保育者への質問のチャンスです。

保育者の指導内容の意味をきちんととらえる

実習生の感想に「園の先生たちは仲がよかった」「厳しい指導だったけれど子どもには温かく接していて勉強になった」と聞くこともあれば、「保育者間で子どもへの接し方が違い、けんかへの対応にとまどってしまった」という報告を聞くこともあります。

またある学生は、「けんかをよく見て見守ることも大切ですよ」と指導を受けたため、ただ見ていたら、「何をぼーっと見てるの！」と厳しく保育者に指摘を受けたというものでした。見守るという言葉は見るだけではなく、それぞれの子どもの気持ち（子ども同士のやりとり）をまずは大切にしながらという具体的なかかわりを、保育者はアドバイスをしてくれたのです。質問して、せっかく指導を受けても指導内容が理解できていなければ学びへと広がりません。言葉だけを受け取るのではなくその意味をしっかりと理解することが大切です。

column けんかは学びの宝庫

けんかへの対応は、その子どもの状況でも保育者のかかわり方によっても違います。“子どもが主体的に学ぶ”という根底は大切にしつつも、けんかは危険が伴う場合もあり、見守りながら適切な対応が求められます。けんかの場面での保育者の言葉かけや援助は学びの宝庫です。疑問に思ったことやわからないことは積極的に質問し、さまざまなけんかの場面での事例の学びを深めましょう。

怪我や突発的な出来事への対応

怪我などは未然に防ぐことが基本

実習生も保育現場の中では、子どもに接することに伴う責任は変わりません。実習に行く前に、特に起こる可能性のあるトラブル、怪我、事故など、万一の場合の対応方法を確認しておきましょう。

特に3歳未満児のクラスのけんかや取り合いなどによる噛み付きや引っかきは、未然に起こらないようにすることが鉄則です。集団での生活がもともとむずかしい年齢です。たとえば、2歳児ころになると、自分と他者の物が異なることはわかるようになりますが、内面の調整がむずかしいため、自分がほしい場面でのこだわりも強く物の取り合いなどが激しくなることもあります。子どもの発達の特性を踏まえ、クラスに入る前に子どもの姿を十分に理解し、起こりそうな場面を考えておくことが大切です。幼児はさまざまなことを自分で考えられるようになり、危険に対してもこうしたほうがよいという理想の姿を心に描くことができるようになります。そのため、園庭などの遊びでの怪我への対応は子どもと一緒に考えていくことも大切ですが、一方、行動範囲も広がるため、基本的には危険がないように園環境を整えておくことも重要です。事前に園全体で取り組む安全管理への対策をうかがったり、保育終了後の安全チェックを保育者と一緒にまわらせてもらうことで学びましょう。

事前の確認で突発的な出来事にも対応できるように

実習担当のクラスに入ったら保育者にアレルギーも含めて健康面で特に気を付けるべき子どもについて確認しておきましょう。たとえば、腕の抜けやすい（脱臼しやすい）子どもや食物アレルギーのある子ども、皮膚疾患のある子どもなどについても事前に把握しておきます。

実習生も給食の配膳に入ることがある場合は、子どもに配る前に再度、食事に配慮の必要な子どもへの対応について確認をしましょう。

一時保育などで途中から子どもがクラスに入る場合もあります。少しでも不安なことは保育者への「報告」「連絡」「相談」が大切です。

POINT

「ほう・れん・そう」をしっかりと

小さなことでも「ほう・れん・そう」（報告・連絡・相談）が大切です。ぶつけたとき、痛がらなかったため保育者に報告もせず、服の下を確認することもなく帰宅し、あとから青く内出血してきたということもあります。たとえ、傷などがはっきりしない場合もありのままに現状を報告、連絡し、対処が必要なときも勝手な判断で行わず、必ず保育者に相談してください。

ありのままに事実を伝える

もし自分の目の前で怪我などが起きた場合、たとえ自分が原因でなくても、ありのままの事実をすぐ近くの保育者に伝えた上で未然に防げなかったことは謝罪しましょう。大切な子どもの命を預かる仕事です。怪我や事故などの状況によっては、園長や養成校に連絡が必要な場合もありますので、園の指示に従いましょう。当日だけではなく、次の日以降の子どもの様子にも思いやる心を持つことは保育者になろうとする者として大切な心がけです。

気になる子どもへの対応

気になる子どもとは

「気になる子ども」とは、1990年代ごろから保育や教育現場で自然発生的に使われ始め、現在では学術的にも取り上げられるようになった言葉です。あくまでも保育者の専門的観点から子ども理解をしようとした場合、「気になる」子どもを指します。

「気になる子ども」は保育学で使われる場合と特別支援教育学で使われる場合で、ニュアンスが少し異なります。特別支援教育学では「気になる子ども」=「発達障害」と限定される傾向がありますが、保育学では、発達障害的要因だけではなく家庭環境的要因（虐待や養育力の欠如など）からもとらえられる傾向があります。たとえば虐待などの場合、遺伝的要因がなくても、発達障害によく似た症状を示すことがあります。そのような場合も「気になる子ども」として保育者は認識することになります。

このようにさまざまな要因から「気になる」行動が現れてくるため、子どもたち一人一人に対して保育者は個別にきめ細やかな配慮をしていくのです。

気になる子どものとらえ方

では、気になる子どもはどのように見ていけばよいのでしょうか。そのポイントを順に示します。

① 複数の保育者の目でみて、気になる子どもが直面している困難、あるいは将来的に直面するであろう困難がどのようなものなのか客観的に把握していきます。

② 把握のための視点として発達上の問題と生活上の問題の２つの側面でしっかりととらえます。

③ 発達上の問題としては、遅れやバランスの悪さが担任保育者による個別配慮で十分な範囲であるのか、あるいは「発達障害」として特別支援や専門家による介入の必要性のあるものなのかを見ていきます。

④ 生活上の問題としては、園内環境や生活の流れが気になる子どもの困難につながっていないかを見ていきます。家庭と連携し、家庭環境についても同様に把握します。

⑤ 上記のようなさまざまな状況をきちんと把握し、家庭、場合によっては他機関と連携しながら個々に応じて対応していきます。保護者の了解が取れれば「個別の支援計画」※を策定すると、より効果的な支援が可能となります。

園や施設での実習では、さまざまな子どもたちとかかわることになります。上記のような気になる子どもへの保育者の対応やかかわり方の基本を理解した上で、しっかりと学びましょう。

※個別の支援計画（教育支援計画）は、あくまでも当事者（および家族）を主人公とした多職種連携のためのツールであるため、担任保育者や園側の一方的な判断で策定することはできません。

物の借り方・取り扱い方・返し方

自ら用意するのが基本

実習で使用するものはできるだけ自分で用意することが基本です。しかし、園側から「園の物を使用していいですよ」と借りる機会もあります。園には多くのすぐれた教材、備品、物品があります。物の借り方・取り扱い方・返し方の基本的マナーをおさえましょう。

取り扱いの基本的マナー

保育の場にある物の取り扱いの基本的なマナー（右記・下記）について具体的に確認していきましょう。

POINT

借りたら状態や数をまず確認
園の物を借りたらその場でまず状態や数を確認します。気になることがあればその場で報告しましょう。

ていねいに取り扱う
園の備品や保育教材は吟味し選ばれ、大切に受け継がれています。借りた物はていねいに取り扱いましょう。たとえ子どもがいなくても危険物や貴重品、本や紙芝居も床などに気軽におかないようにしましょう。

万が一壊したらすぐに謝る
破損した場合はすぐに報告し謝りましょう。借りた物を万が一壊してしまった場合は弁償する場合もあります。

返却時には感謝を込めて
借りた物を返す際にはお礼の言葉を添えて、借りた状態に戻して返しましょう。倉庫など所定の場所に片付けたほうがよい場合もありますので、保育者にうかがうようにしましょう。

さまざまな物の取り扱い例

●**はさみ・カッター**：持ち手を相手に向けて返しましょう。

●**絵画・製作コーナー**：足りなくなったものは補充や交換をします。絵の具は片付ける場合と作り足す場合があります。使用後の筆は必ず、洗い先をとがらせて乾かします。

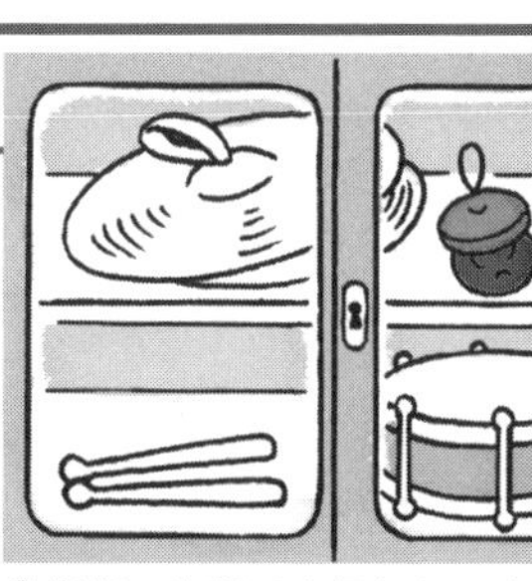

●**楽器**：楽器は高価なものが多く、鍵付きの棚などで保管されていますのでていねいに扱いましょう。ピアノは指を挟む事故を防ぐ意味でも、使用後、鍵をかけます。

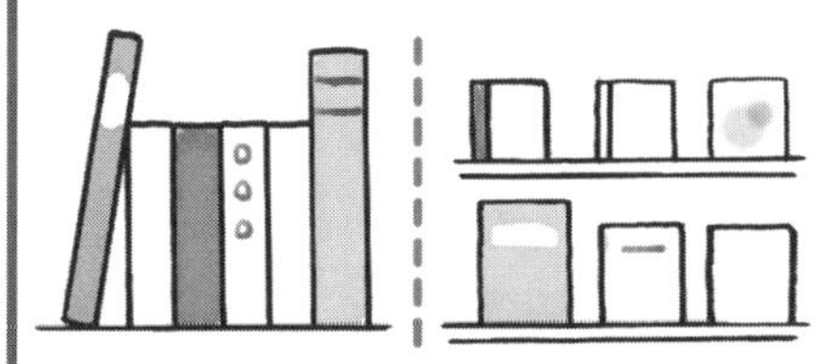

●**絵本・図鑑・紙芝居など**：本を戻す際にはすぐ片付けてよいか確認しましょう。片付ける前に汚れや破損なども確認します。

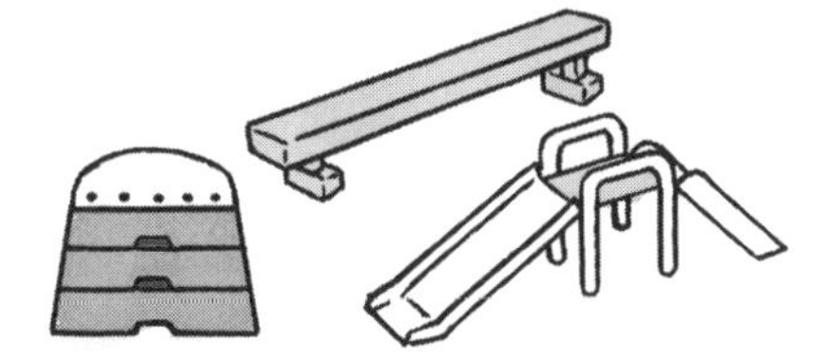

●**跳び箱・平均台・室内滑り台など**：遊具は破損などに注意し取り扱います。不具合がある場合には危険ですので使用せず保育者に伝えましょう。

ほかにはどんな教材があるかな？

食事のマナーと箸の持ち方

モデルとしての保育者

保育者の大きな役割の一つに、子どもの生活習慣形成のためのモデルとなることがあります。そのためには保育者が、食のマナーを身に付けていることが基本です。食のマナーを身に付けて、子どものモデルとしての役割を果たしましょう。

給食や弁当の食べ方に注意しよう

保育者は給食や弁当の食べ方にも注意しましょう。

① 茶碗は必ず持ち上げて、口のほうに食器を持っていきましょう。

② 口に物を入れたまましゃべってはいけません（飲み込んでから話すようにしましょう）。また、口を開き音を立てて噛むのもマナー違反です。一緒に食事をしている人の食欲を減退させます。

③ 食事の際は必ず座って食べましょう。立ったままの飲食は厳禁です。

④ いろいろな種類を少しずつまんべんなく食べましょう。1品ずつ食べきるような食習慣が子どもに付くと、好きな物だけで満腹になるなど栄養が偏る原因にもなります。

⑤ 子どもが見ています。好き嫌いのないようにしましょう。

覚えておこう

気を付けよう！　箸のマナー

✕ NG

注意しなければならない箸の使い方は以下の通りです。

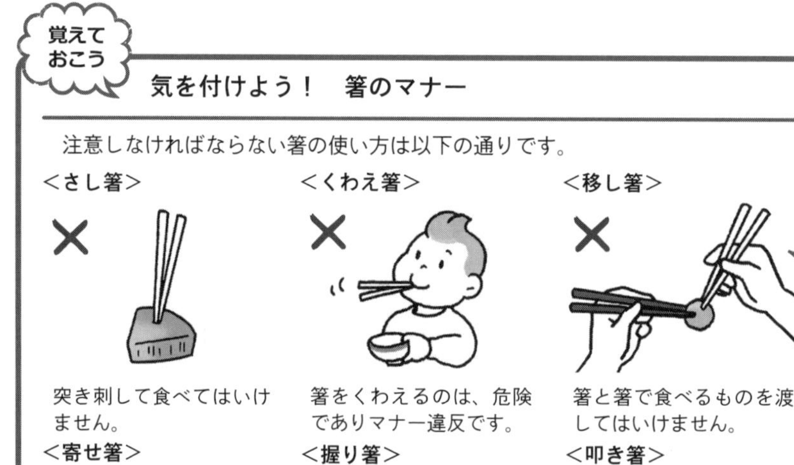

<さし箸>
突き刺して食べてはいけません。

<くわえ箸>
箸をくわえるのは、危険でありマナー違反です。

<移し箸>
箸と箸で食べるものを渡してはいけません。

<寄せ箸>
箸で食器を引き寄せたりしてはいけません。

<握り箸>
箸を握って扱うのはやめましょう。

<叩き箸>
箸で茶碗を叩いてはいけません。

日本では、人が亡くなったとき、火葬後、遺骨を箸と箸で受け渡して骨壺に収める習慣があります。ですから、食事のときの箸と箸の受け渡しは禁忌事項となっています。

※地域によっては呼称が異なることもあります。

気を付けなければならない箸のマナーについて取り上げましたが、子どもは箸で茶碗を叩くこと（叩き箸）が大好きです。このような場合、マナー違反ですのでやめさせなければなりませんが、あなたなら子どもにどのような声かけをしてやめさせますか。声かけの基本は理由をはっきり伝えることです。

覚えておこう

大丈夫？　茶碗の持ち方

箸と共に茶碗の持ち方にも注意しましょう。

①茶碗の中に親指が入るような持ち方

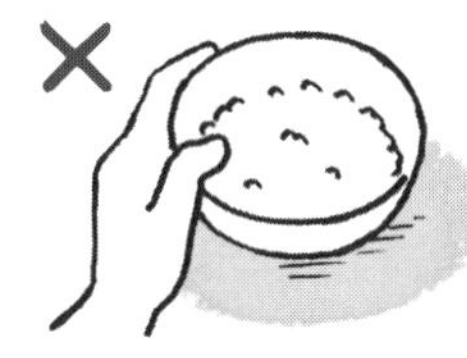

②茶碗の上（縁）を親指・人差し指・中指でつまむ（握る）ような持ち方

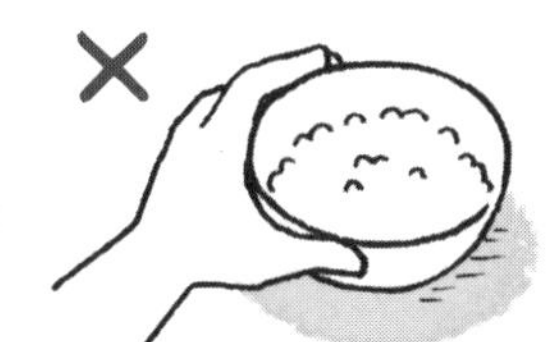

③食卓においたまま茶碗を包み込むように握る持ち方

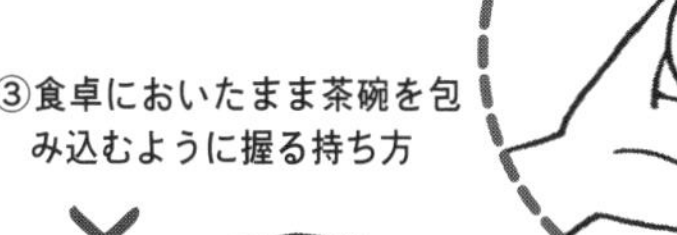

〇 OK

正しい箸の持ち方

学生に「箸を正しく持てますか？」と聞くと、多いときで6割、あるときは3割くらいしか正しく持てず驚くことがあります。食事のときなど友達同士で注意し合って正しい箸の持ち方を習得しておきましょう。保育者は子どもの生活モデルであることを忘れないでください。

覚えておこう

箸の持ち方

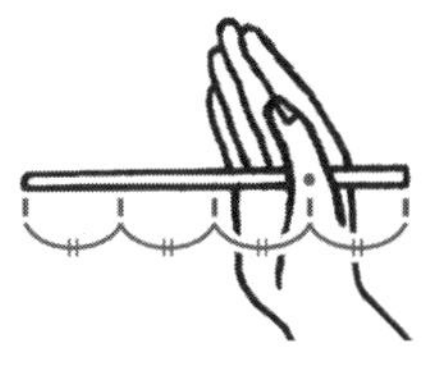

①まず下の箸から練習します。箸の上から４分の１のところを持ちます。そのとき親指の付け根にしっかりとはさんでください。

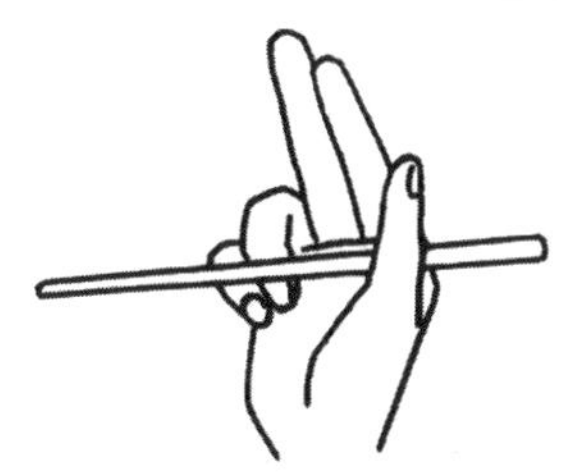

②人差し指と中指は伸ばしたまま、小指と薬指を曲げます。曲げた薬指の爪の根本に箸を当てるようにして固定します。

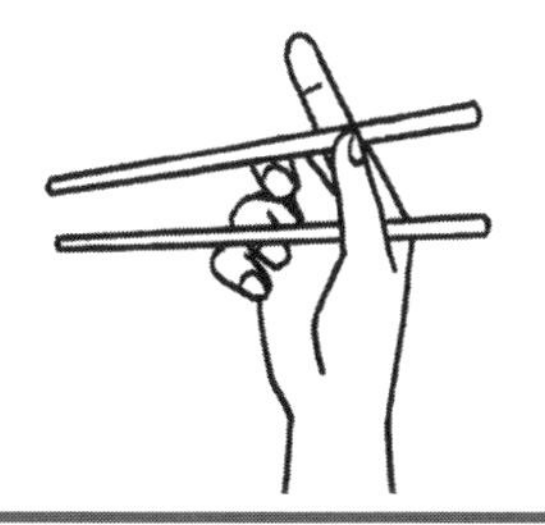

③上の箸を親指・人差し指・中指の３本で持ちます。

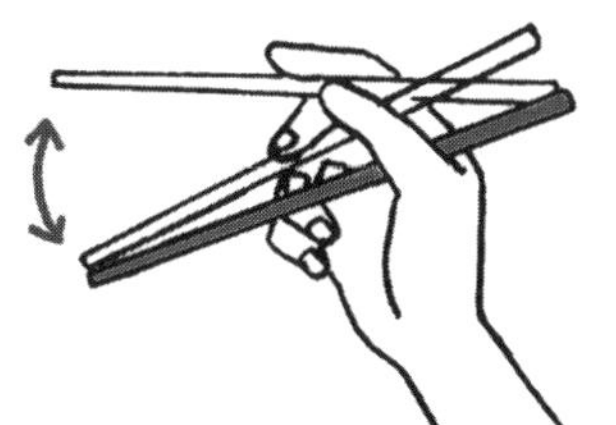

④下の箸は固定したまま、上の箸を上下に動かします。

鉛筆の持ち方・座り方・メモの取り方

正しい鉛筆の持ち方を確認しよう

正しく鉛筆を持つことができないときれいな文字が書けません。きれいな文字で子どもたちや保護者にお便りなどを書きたいものです。また、文字に興味が出始め、鉛筆を持とうとする子どもたちのモデルとなるのが保育者です。保育者として正しい鉛筆の持ち方は大切となりますので、自分の鉛筆の持ち方を見直してみましょう。

覚えておこう

鉛筆の持ち方

①鉛筆の芯の際ではなく、削り際から15㎜くらいのところを持ちます。
②箸を持つときと同じに親指・人差し指で持ち中指に当てます。親指や人差し指に力を入れすぎないことが大切です。
③親指の角度を箸のときの上向きから手前に少しかた向けます。
④書く面に対しては60度にします。
⑤正面から見て、右に20度傾くようにします。

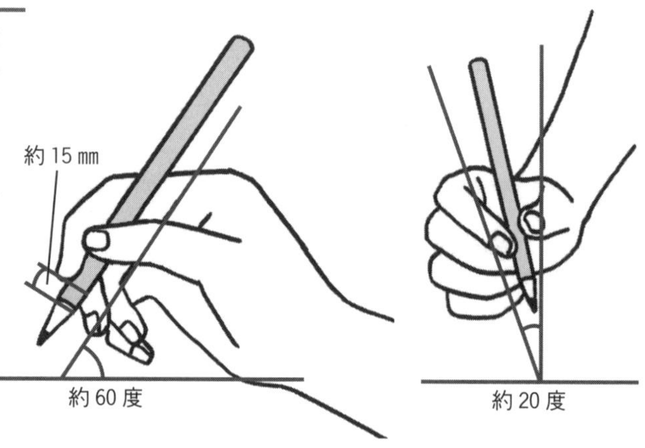

正しい姿勢で座ろう

みなさんは正しい姿勢で座ることができていますか。正しい姿勢で座ると文字を書くときに手も動かしやすく、疲れにくいものです。自分の座り方を確認してみましょう。

正しい姿勢で座るためには、足の裏を床につけ、姿勢を安定させるために、利き足をほんの少し前に出します。背筋を伸ばし、へそから指３本ぐらい下の丹田というところに力を入れ体全体の力は抜きます。体は机より10㎝ほど離し、膝の角度は90度、背筋は座面に対して90度くらいがいいでしょう。

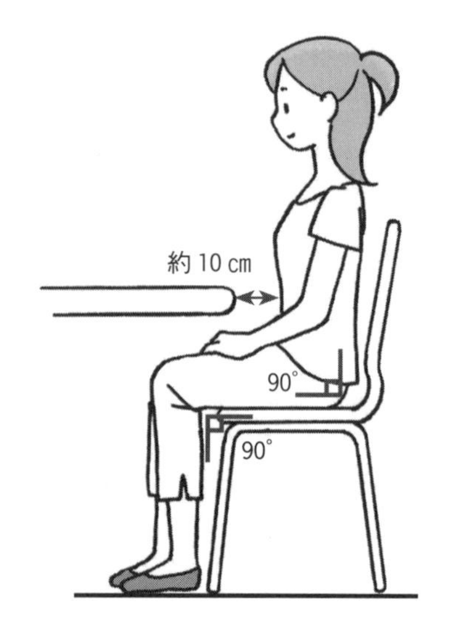

メモを取るときの留意点

実習中に子どもたちの様子や保育者の援助についてメモを取るとその後の振り返りや実習日誌の記載にも役立ちます。保育中、メモを取るときにはどのようなことに気を付けたらよいでしょうか。

① 保育中にメモを取ることが可能か、実習園に確認する

実習を集中して行ってもらいたいという考えや子どもたちへの安全性を考え、保育中にメモを取ることを禁止していたり、保育室への筆記用具自体の持ち込みが禁止されている園もあります。まず、実習園が保育中にメモを取ることを許可しているか確認しましょう。保育中のメモが禁止されている場合は、休憩時間や保育を離れた際の時間を有効に活用しましょう。保育中のメモが許可されている場合も、保育に支障をきたさずに、保育に参加できるよう手際よくメモを取ることが大切です。また、ペンをクルクル回したりすることはマナー違反ですのでやめましょう。

② 保育の場に持ち込む筆記用具は安全性と使いやすさを考慮する

保育の場には子どもたちがいるので、使いやすく安全に配慮した筆記用具を選ぶことが重要です。キャップ付きのペンや、子どもたちの興味をひくような派手なものは避けましょう。ノック式のキャップのないものなどを選ぶとよいでしょう。メモ帳（小型のノート類）は、リング式のタイプが使いやすいでしょう。めくりやすく、いらない頁を切り取ってもバラバラになりません。

③ メモの取り方のポイント

メモはすべての事柄（文章）を書くものではなく、あとで思い出すための鍵となるように、最小限の書き込みを心がけましょう。右のポイントを参考にしましょう。

POINT

時間をメモしておく

あとでいつのメモか整理がしやすくなります。

要点だけを記し、短時間で手際よく

子どもは「子」またはアルファベット、保育者は「保」と略したり、「10:00、園庭、砂場、Ｂ子、Ｄ男」などと、簡潔に記しましょう。

子どもや保育者の言葉をメモに取る

Ｆ男「先生、砂場へ行きたい」、保「今日はお外には出られないの」など、言葉をメモするとあとで振り返りやすくなり役立ちます。

column　鉛筆の持ち方は楽しさを大切にしながら教える

幼稚園や保育所、認定こども園でも年長児くらいになると鉛筆を持つ機会が多くなると思います。園によっては３～４歳児から鉛筆を持たせ、字の練習をするところもあるかもしれません。一度身に付いた癖をあとで直すのは大変です。初めから正しい鉛筆の持ち方を子どもが身に付けるようにしましょう。

ただし、保育の中で何かを教えようとするときには、楽しい環境の中で、子どもが楽しみながら自然に身に付けていくよう環境を整えることが基本です。無理に厳しく教えると、鉛筆はきれいに持てるようにはなるかもしれませんが、教えられた際に怒られた不快感などから、鉛筆を持ちたくないという思いなど、鉛筆に対する否定的な気持ちも強くなっていきます。それは、勉強嫌いの一因ともなるでしょう。幼児期の鉛筆の持ち方の指導は、そのこと自体が楽しくなるよう、ほめながら楽しく教えるなど、子どもが自発的に取り組めるよう配慮することが大切です。

片付けと掃除の仕方

保育の場の環境整備の重要な仕事として、片付けと掃除があります。ここでは片付けと掃除の仕方について確認していきましょう。

片付けのポイント

片付けは保育の場で子どもたちにも教えています。片付けの目的は次に使いやすいようにすることと、気持ちのよい空間を作ることです。

片付けのポイントは、収納の仕方にあります。園では物をどこにしまうと、しまいやすく出しやすくなるのか、またじゃまにならずに部屋がすっきり見えるのかなど、場所を探して物のおき場を決めています。子どももしまいにくい場所では嫌がり片付けをしようという気持ちにはなりません。

実習では園での片付けの仕方をしっかり学びましょう。

POINT

使用頻度に合わせて物を分類

物を、①よく使う物、②ときどき使う物、③年に１回程度しか使用しないが必要な物、④ほぼ使わない物の４つ程度に分類します。①は収納場の手前に、②は真ん中に、③は奥または物置などにしまってもよいでしょう。④は残念ですが処分します。

たくさん詰め込まない

収納場所には全体の７割くらいの物の量を心がけ、３割空けておくのが使いやすい収納のコツです。机の中、引き出しの中や物入れの中にぎゅうぎゅうに詰め込むと、中に何が入っているか探すのがとても大変になります。

保育室内の片付けの一例

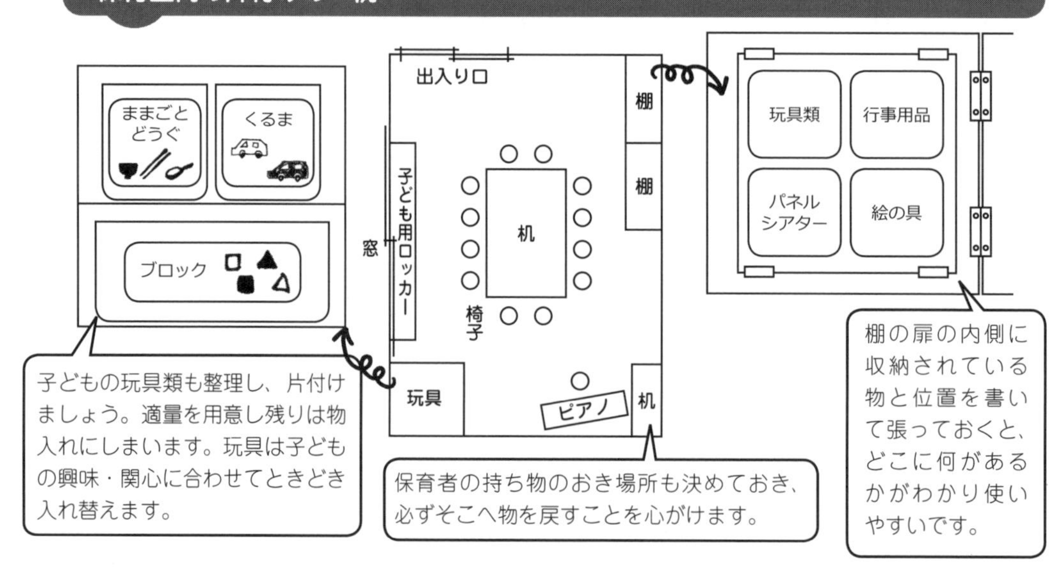

掃除のポイント

降園前など子どもたちと保育室を掃除をすることもありますが、掃除は主に保育者が行うことが多いでしょう。特に実習生は進んで掃除などに取り組みたいものです。

① 掃除用具を知る

掃除用具の名前、掃除用具の使い方などについてきちんと理解している必要があります。掃除用具の名前と使い方についてしっかり確認しておきましょう。

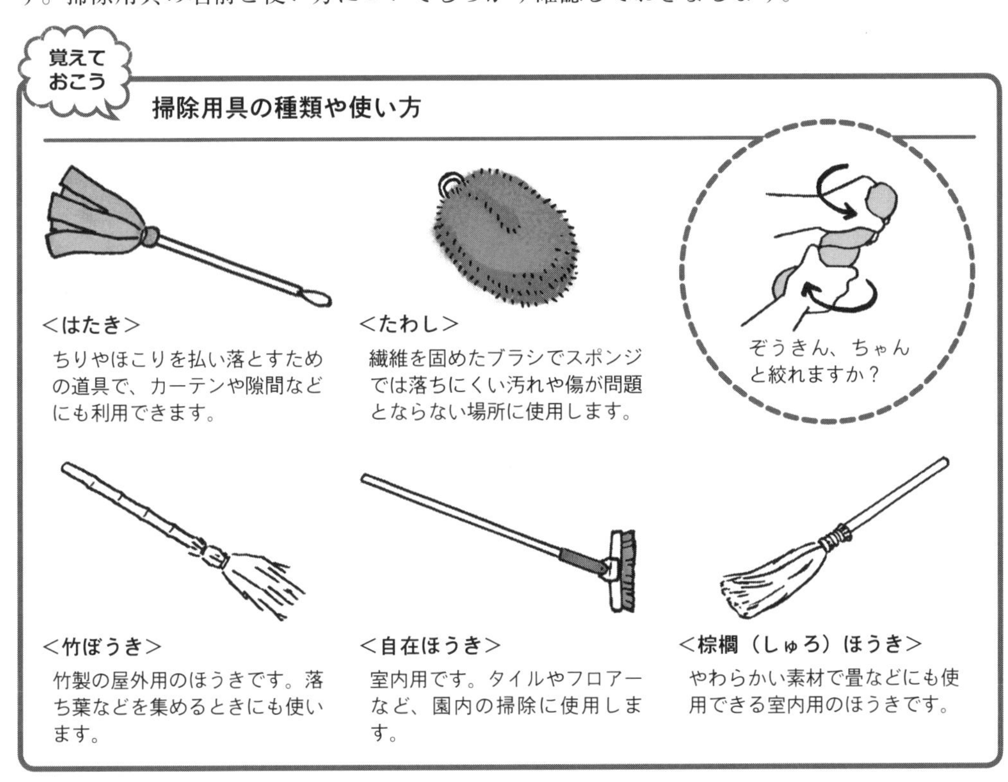

覚えておこう

掃除用具の種類や使い方

<はたき>
ちりやほこりを払い落とすための道具で、カーテンや隙間などにも利用できます。

<たわし>
繊維を固めたブラシでスポンジでは落ちにくい汚れや傷が問題とならない場所に使用します。

<竹ぼうき>
竹製の屋外用のほうきです。落ち葉などを集めるときにも使います。

<自在ほうき>
室内用です。タイルやフロアーなど、園内の掃除に使用します。

<棕櫚（しゅろ）ほうき>
やわらかい素材で畳などにも使用できる室内用のほうきです。

② 掃除の流れを知る

掃除の手順についても確認しておきましょう。窓を開けずに掃除を始めることがないように注意しましょう。

- 換気をする。部屋の窓やドアをあける。
- 上（天井のほう）から下（床のほう）へ向かって掃除をする。
- 室内など奥から手前（入り口のほう）に向かって掃除をする。

column 掃除機のかけ方

掃除機をかける際には、力を抜いてかけましょう。力を入れると吸い込み口が床面にぴったりとくっつくため吸引力が弱まります。手前に引いてかけます。ヘッドを手前に引いたときのほうが吸引力が強くなりますので、力を抜いてゆっくり手前に引きながらかけましょう。また、畳の場合は目に沿ってかけましょう。床と壁の境目のほこりを取るときはヘッドを斜めに浮かしてかけます。

お茶のいれ方

一般の職場も保育の場でも休憩をとる際に、休憩室や職員室で煎茶（茶葉を蒸し乾燥させたもの）を代表として玉露・番茶・ほうじ茶・玄米茶など日本茶やコーヒー・紅茶などを飲みます。このような休憩時間を利用して職員間のコミュニケーションをとります。社会人としてはずかしくないよう、基本的な日本茶の茶葉の特徴を知り日本茶のいれ方を覚えましょう。

茶葉の特徴

それぞれの茶葉の特徴をまず確認しておきましょう。

・玉露……茶樹に覆いをかぶせて栽培し、八十八夜ころ（5月2～3日ころ）に手摘みで茶葉を採取するなど手間をかけた最上級の煎茶です。

・番茶……八十八夜から遅れること9月にかけて遅い時期に摘まれた茶葉や硬い茶葉を用いた普段使いの下級茶です。さっぱりとして苦味が少なく幼児や病人にも好まれます。

・ほうじ茶……番茶を褐色になるまで強火で焙煎したお茶です。食後のお茶に適しています。カフェインが少ないことから就寝前にも飲むことができます。

・玄米茶……白米を蒸して乾燥させたものを焦げ色が付く程度に煎り、煎茶や番茶に5割程度まぜたお茶です。香ばしい香りが特徴です。

基本的なお茶のいれ方と手順

基本的な煎茶のいれ方と手順は次の通りです。

①人数分の茶碗にお湯を7～8分目ほど入れ湯冷ましを兼ね茶碗を温める。

②お茶の葉を急須に入れ（お茶の葉の分量は小さじ山盛り1杯が1人分）湯冷ましした茶碗のお湯を急須に入れる。

③均等に茶碗に注ぎ入れる。

POINT

いれるためのお湯はいったん沸騰させる

茶葉によって湯の温度と浸出時間を調整する

茶葉の種類	玉露	番茶	ほうじ茶	玄米茶
湯の温度	50～60度	100度	95～100度	95～100度
浸出時間	2分～2分30秒	30秒	30秒	30秒

均等に注ぎ入れ最後の一滴まで絞りきる

同じ茶葉を用いて2煎目を入れる場合

湯温100度（熱湯）、浸出時間は30秒程度にする。

お茶を出す際の注意事項

煎茶を出す際の注意事項も確認しておきましょう。

・運ぶ際は茶碗と茶卓は別々にお盆の上におき、相手に出す直前に茶卓に茶碗をのせます。

・お茶を出す相手の右手から「失礼いたします」と一言声をかけ、相手の正面に茶碗をおくように出します（声をかけないと相手が驚いて振り向いた際に茶椀を振り払う恐れがあります）。

・相手の正面に対して茶卓の木目が平行になるよう、茶碗の絵柄が向くように出します。

自ら考え動く姿勢

多くの実習生が初めての実習で戸惑うのは、保育者からは「自分なりに考えて積極的に動いてみてください」とご指導いただくものの、「何をしてよいかわからない」ということです。ここでは、実習中に意識しておきたいポイントについておさえておきましょう。

生活に見通しを持つこと

まず、自分なりに考えて積極的に行動できるようにするためには、「見通しを持つ」ということが必要です。たとえば、生活の流れとそこでの保育者の動きに対して見通しが持てるようになると、次の活動と実習生である自分にできることがわかってきます。すると、保育者から一つ一つ指示を受けなくとも、自分でできることを考えながら行動することができるようになります。また、見通しを持つためには、おおよその一日の時間の流れを早い段階で把握することが必要になります。まずは全体を確認しましょう。

おおよその見通しが持てたら、「今している活動」に没頭するのではなく、時間と保育者の動きを見ながら「次の活動」を予測しておきます。次にどのような活動が予想され、そのために今、自分にできることは何かを考えながら動けるようにしましょう。

わからないことは早めに相談すること

もう一つ大切なことは、わからないことを早めにたずねることです。わからないことが多いと、その場面でどうしてよいかわからず、積極的に保育に参加できませんし、わからないまま自分の判断で行動してしまうと大きな問題となってしまうこともあります。

たとえば子どもが目の前で怪我をしたとき、保護者から何か相談されたとき、実習生としてはどのように対応したらよいでしょう。わからないとき、困ったときにはすぐに保育者に相談することを心がけましょう。

個人情報と守秘義務

みなさんは普段、Twitter や LINE、ブログなどの SNS（ソーシャル・ネットワーキング・サービス）を利用しているでしょうか。ここでは、保育における個人情報と携帯電話・SNS のかかわりについて確認しておきましょう。

保育におけるさまざまな個人情報

「個人情報」という言葉はよく耳にしますが、みなさんが実習に出かけたとき、保育の場でどのような個人情報と出会うでしょうか。名前、年齢、性別、生年月日、園名やクラス名、保護者の職業、居住地、家族構成など、さまざまな情報が思い浮かぶでしょう。

「個人情報」とは、法律では特定の個人を識別できる情報のことを指しています。そうすると、上にあげた情報だけでなく、特定の個人を特徴付ける情報、たとえば顔写真やひとり親家庭である、心身の障がいがある、生活保護を受給しているといった情報なども含まれてくることがわかります。実習に出かけると、日々の保育に参加する中でこうした個人情報にたくさん触れることになるのです。

保育者の守秘義務

実習に出かける前に、個人情報の保護や秘密保持の義務について知っておく必要があります。たとえば、保育所は保育を必要とする家庭の子どもが通うことができる場所であり、そのことを確認するための世帯収入や家族状況といった非常にプライベートな情報を実習生でも知り得る可能性があります。また児童養護施設などの入所施設では、家庭で暮らすことのできない子どもの事情を聞くことになるでしょう。

児童福祉法では秘密保持義務として「保育士は、正当な理由がなく、その業務に関して知り得た人の秘密を漏らしてはならない」としており、保育士をやめたあとにもこの義務を課しています。これに違反した場合には保育士登録の取り消しや罰金などの罰則規定もあるのです。このように知り得た秘密を守ることは、保育士だけではなく幼稚園教諭、保育教諭も同様です。これは実習生にもあてはまることで、実習中に知り得た情報は口外してはいけません。秘密が流出することによって、その親子が地域で暮らせなくなってしまうようなケースも考えられます。自分が保護者だったら、自分の個人情報をどのように扱ってほしいかという視点で考えてみましょう。

携帯電話に関する留意事項

最近では、子どもでも自分の携帯電話を保有していたり、使いこなしたりするという話も耳にします。また、児童養護施設には中・高校生の子どもたちもおり、携帯電話を持っていることが少なくありません。仲良くなった子どもたちとは、個人的にいろいろなことを話してみたい、実習終了後にもコンタクトを取りたいという思いが生じるかもしれませんし、そのために自分の電話番号やメールアドレスなどを伝えたくなるかもしれません。しかし、実習生という立場でのかかわりであることを十分に自覚し、連絡先の交換は控えましょう。もし保護者に携帯の電話番号やメールアドレスを聞かれたときには「申し訳ございません。養成校より保護者の方に個人の電話番号やメールアドレスを教えることは禁止されております」と事情を伝え断りましょう。

次に、実習とのかかわりにおいて留意したい携帯電話の使用について、最低限守るべきルールを取り上げます。

これだけは絶対守ろう！　携帯電話での NG 行為

以下は実習生として絶対に行ってはならない行為です。しっかりと確認しておきましょう。

＜子どもや保護者との電話番号・アドレス交換＞

＜子どもとの写真撮影＞

＜LINE などへの書き込み＞

column　自分の携帯に子どもの写真を保存 !?

ある保護者から、こんな心配事を聞きました。子どもの担任の新人保育者は、保育中に毎日たくさんの写真を撮影して、迎えに来た保護者に写真を見せながらその日の子どもの様子を伝えてくれるそうです。子どもの様子がよくわかると保護者から好評を得そうなところですが、これが大問題に発展したそうです。その理由は、写真をすべて自分の携帯電話で撮影していたからです。保護者は、子どもたちの写真を私用の携帯電話に保存して持ち帰っていること、SNS でその写真が掲載されているのを見かけたことなどから、担任の保育者に対して大きな不安や不信感を感じたのです。

携帯電話は手軽で便利ですが、子どもの「個人情報」に対する自覚と責任を持つことが必要です。

実習最終日

実習での喜びも反省もすべて宝物

実習も終盤になり、最終日が近くなると、緊張したことや失敗したこと、がんばったことなど、さまざまな思いがあふれてくることでしょう。担当のクラスの子どもの心を受け止め、言葉を交わすことはできたでしょうか。あなたに声をかけたくてもかけることができず、見ていただけの子どもはいなかったでしょうか。実習でこのようなことに気付いたり、学ぶことや喜び、反省もすべてみなさんの宝物です。そして、いよいよ実習も最終日を迎えます。ここでは、実習最終日に確認しておきたいことを整理しておきましょう。

実習最終日にすること

① お世話になったすべての保育者と園職員にお礼の気持ちを伝える

実習担当の保育者はもちろんのこと、直接お世話になっていなくても、実習園の職員全員に間接的にお世話になっています。「実習期間中は大変お世話になりました。ありがとうございました」とすべての職員にお礼を伝えましょう。

② 子どもに別れることと感謝の気持ちを伝える

子どもにもお別れと感謝の気持ちを伝えます。手作りのメダルなどを個々に子どもたちにプレゼントしたい場合は、前もって可能かどうかを実習園にうかがっておきましょう。

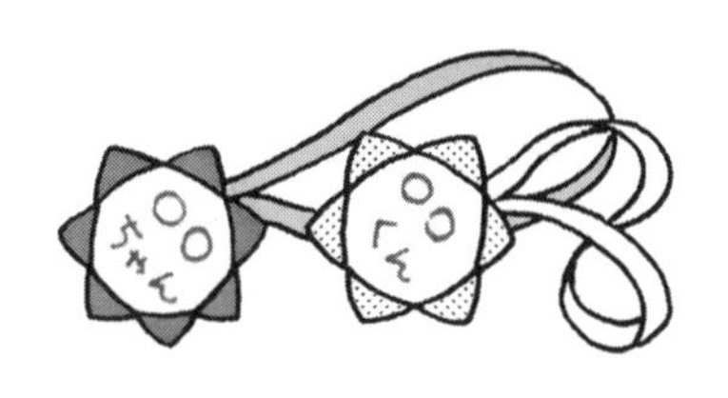

③ 実習園への感謝の言葉と質問や反省を用意しておく

最終日に向け、実習生反省会を行う園も多いので、園側への感謝の言葉と質問や反省をまとめておき準備しておくとよいでしょう。

④ 最終日の実習日誌の提出と受け取りを事前に確認しておく

実習最終日に担当の保育者や園長が不在の場合もあります。実習日誌の提出日、提出方法、受け取り日、受け取り方は前もってうかがっておきましょう。

column 園への感謝の気持ちを忘れず大切に

実習園の保育者は、みなさんの実習決定日から担当を考え、学んでもらえるように実習スケジュールの日程調整など、よりよい実習が行えるようさまざまな対応をしてくださっています。みなさんにとってどのような実習が望ましいのか、さらに養成校へ実習園での学びを持ち帰り成長できるように考えてくださっています。実習園はみなさんの後輩の実習園となるかもしれません。また、実習から就職の機会につながることも実は多くあります。有意義な実習の締めくくりとなるように、最後の日まで感謝の気持ちを忘れずに養成校では学ぶことのできない宝物を持ち帰りましょう。

PART 2

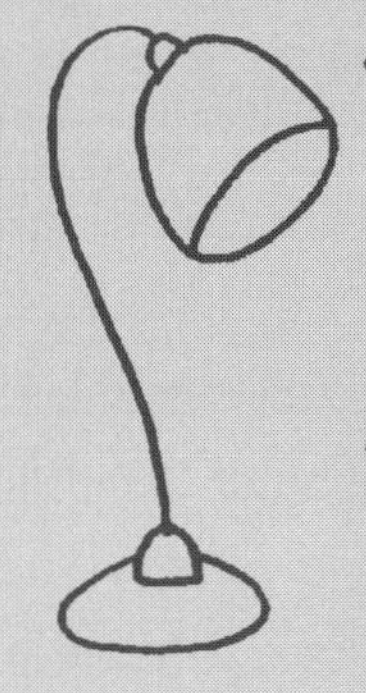

保育学生としての言葉

社会人として、また保育学生として身に付けたい話し言葉と書き言葉について確認しましょう。
正しい敬語の使い方から日常会話の常識、保育場面で作成する実習日誌や記録、そのほかレポートや手紙、書類などの書き方についてもしっかりと学びましょう。

§1　話し言葉

社会人・保育学生としての話し言葉

就職の面接や実習、アルバイトやボランティアなど、社会に出れば一人前の社会人として扱われます。友人同士での話し言葉とは異なり、社会人には、敬語などを正しく使用することや、話す相手やその場に応じたコミュニケーション能力が必要となります。正しい敬語が使えなかったり、その場にそぐわない表現や論点のずれた話題で話すことは、自らの印象を悪くしますし、相手を不快にさせることもあります。特に第一印象で悪い印象を与えてしまうと、その後の人間関係の構築がむずかしくなります。

しかし、日常的に使う話し言葉をいきなり正しい敬語に直して話をしようとしても、おかしな表現になったり、話の要点が見えず話題がずれたりと、うまく話せるものではありません。

ここでは、社会人として保育学生として、その場に応じた正しい話し言葉について、その基本と具体例を取り上げ、確認と練習をしていきます。

実習での話し言葉

実習では、実習園の園長、保育者、用務員、調理員、その他の職員、園児、保護者、同じ実習生などさまざまな人と、TPO に応じた言葉を交わしてコミュニケーションを取ります。その場合、時間・場所・場面・相手との心理的距離に応じて、言葉を使い分ける必要があります。

普段から子どもたちは大人の言葉に耳をすまして、聞いています。実習時だけではなく、日常生活でも正しい敬語や相手に応じた話し方を心がけ言語表現の幅を広げましょう。

以下、話し言葉のポイントを示します。

POINT

- **子どもにも話の内容が理解できるようにわかりやすく話す**
- **目上の人との会話では、TPO に応じて敬語表現を用いる**
- **話し手から聞いた情報や事項は、確認のため復唱しメモを取る**
- **自分が話す大変重要な情報は、話す前にメモしておき、メモを参照しながら話す**
- **相手（子どもや保護者など）のプライバシーや人権に配慮する**

敬語（尊敬語・謙譲語・丁寧語）

まず本書では、話し言葉の基本となる敬語の「尊敬語」「謙譲語」「丁寧語」の３種類を説明します。補足説明として文部科学省ホームページ記載の「敬語の指針」（2007年２月文化審議会答申）も参照するとよいでしょう。

尊敬語

上司や目上の人など敬意を払うべき相手の動作・状態・物・こと・人を高める言葉を尊敬語といいます。

① 尊敬語の主な名詞とその類義語

尊敬語の主な名詞とその類義語を以下にあげます。意味を確認していきましょう。

尊敬語の主な名詞	意味	使用例
お宅	相手の自宅	お宅にうかがわせていただきます
お考え、ご意見、貴意、ご感想	相手の考え・意見・感想	ご意見を拝聴したく考えております
（ご）厚志、（ご）厚意、ご厚情	相手が自分に示してくれた親切・思いやり（ご厚志に関して、この意味が転じて「相手が自分に贈ってくださった金品」を意味します）	ご厚意をありがたく頂戴します
お叱り・ご立腹	相手が自分の至らない点について口に出してとがめたり、腹を立てること	至らぬ点についてお叱りを受けました
お力添え・ご尽力	相手が、自分のために力を貸してくれたこと	ご尽力を賜りました
貴園・貴学	相手が所属（経営・勤務・在籍）する（保育・幼稚）園・学校	貴園のますますのご発展をお祈りします
御身、み心	相手の体・心	御身、大切にお過ごしください
銘菓・銘茶・佳品	相手がくださった由緒ある菓子・上質な茶・すぐれた品	お土産に銘菓を頂戴しました

このほかにも、どなた様、お次の方、お子様、お母様（母堂・母君・母上）、お父様（尊父・厳父・父君・父上）、令室（相手の妻）、令嬢（相手の娘）、令息（相手の息子）など、相手に属する人を表す名詞があります。

② 別の形の尊敬語の動詞に

ある特定の普通動詞は別の形の尊敬語の動詞に変えることができます。その例を見ていきましょう。

普通動詞	尊敬語の動詞	使用例
行く	いらっしゃる、おいでになる、お越しになる	○○さんが園へいらっしゃいます
来る	いらっしゃる、おいでになる、お越しになる、お見えになる、見える	○○さんが園においでになります
居る	いらっしゃる、おいでになる	園長室に理事長がいらっしゃいます
（ある状態で）いる	いらっしゃる	玄関に立っていらっしゃいます
食べる、飲む	召す、召し上がる	カレーを召し上がっています
見る	ご覧になる	○○の様子をご覧になっています
着る	召す、お召しになる	コートをお召しになっています
くれる（与える）	くださる	貴重な資料をくださいました
知っている	ご存じだ・ご存じでいらっしゃる	園の歴史をご存じでいらっしゃいます
言う	おっしゃる	ご意見をおっしゃいました

③ 尊敬語の意味の助動詞

普通動詞に、尊敬の意味の助動詞「れる」・「られる」を付けて尊敬語の動詞に変えることができます。その例も確認していきましょう。

普通動詞	尊敬語の動詞	使用例
書く	書かれる	入園式の式辞を園長が書かれます
話す	話される	新制度についての概略を話されます
見る	見られる	保護者のみなさまが保育の様子を見られます
来る	来られる	保育参観に保護者のみなさまが来られます
説明する	説明される	園長が式典の進行手順を説明されます
出席する	出席される	卒園式に来賓のみなさまが出席されます

④「お（ご）」を付け尊敬の動詞に

普通動詞に、「お（ご）～になる」を付けて尊敬の動詞に変えることができます。

普通動詞	尊敬語の動詞	使用例
書く	お書きになる	主任保育士が期別指導案をお書きになります
話す	お話しになる	町内会長が町の歴史をお話しになります
説明する	ご説明になる	園長が第三者評価の結果をご説明になります
出席する	ご出席になる	副園長が地域会合にご出席になります

このように、送り仮名をとる訓読みの語（和語）の動詞の接頭語は「お」となり、二字熟語などの音読みの語（漢語）の動詞の接頭語は「ご」となることがわかります。

⑤ 補助動詞を付けて尊敬の動詞に

普通動詞に、「いらっしゃる」・「～てくださる」・「お（ご）～くださる」などの補助動詞を付けて尊敬の動詞に変えることができます。

普通動詞	各種の補助動詞を付けた動詞
書く	書いていらっしゃる、書いてくださる、お書きくださる
話す	話していらっしゃる、話してくださる、お話しくださる
説明する	説明していらっしゃる、説明してくださる、ご説明くださる
出席する	出席していらっしゃる、出席してくださる、ご出席くださる

「～する」型のサ行変格活用の動詞は「～なさる」の形にすることもあります（例：旅行なさる、ドライブなさる、スケッチなさる、のんびりなさる）。

謙譲語

自分の動作・状態や自分に属する物・こと・人を低めることで、相手に敬意を払う言葉を謙譲語といいます。

① 謙譲語の主な名詞とその類義語

謙譲語の主な名詞とその類義語を以下にあげます。意味を確認しましょう。

通常の名詞	謙譲語	使用例
所属する園、会社、店	当園、小社（しょうしゃ）、弊社、弊店	わざわざ当園まで足をお運びいただき……
私の意見、意志	愚見（ぐけん）、卑見（ひけん）、微意（びい）	愚見ではございますが申し上げます
私が記した著書、文章	小著（しょうちょ）、拙著（せっちょ）、拙文（せつぶん）	私の拙文ではございますが……
感謝の気持ちを込めた品	寸志、薄謝	薄謝でございますがお納めください
差し上げる品（菓子など）	粗菓（そか）、粗茶、粗品、粗飯（そはん）	粗茶でございますがお召し上がりください
自宅	拙宅（せったく）	ぜひ拙宅へお越しください

また、以下のように自分に属する人（身内や家族など）を呼び捨てにすることで謙譲の意味を表します。ほかにも人を表す名詞があります。確認しておきましょう。

●身内や家族など

私（わたくし）、父母、祖父母、伯父伯母（父母の兄と姉）、叔父叔母（父母の弟と妹）など

●そのほかの表現

愚妻（ぐさい）（私の妻）、愚息（ぐそく）（私の息子）、豚児（とんじ）（私の子ども）など

② 別の形の謙譲語の動詞に

ある特定の普通動詞は別の形の謙譲語の動詞に変えることができます。

普通動詞	謙譲語の動詞	使用例
行く、来る	参る	最寄駅からバスで参ります
する	いたす	すぐに準備いたします
（ある状態で）いる	おる	雨が降ってきたので傘をさしております
言う	申す、申し上げる	自分の意見を申し上げます
食べる、飲む、もらう	いただく、ちょうだいする	旅のお土産をいただきます
見る	拝見する	手作りの作品を拝見します
借りる	拝借する	先生の蔵書を拝借いたします
聞く、聴く	拝聴する、うかがう	研究内容の発表を拝聴します
知る	存ずる、存じ上げる	○○さんは存じ上げております
与える	あげる、差し上げる	先日、お菓子を差し上げました
会う	お目にかかる	先生にお目にかかれて光栄です
見せる	お目にかける、ご覧に入れる	保護者へ家庭でできる手遊びをお目にかけます

③「お（ご）」を付け謙譲の動詞に

普通の動詞に、「お（ご）～します」・「お（ご）～申し上げます」・「お（ご）～いたします」を付けて謙譲の動詞に変えることができます。

普通動詞	謙譲語の動詞
書く	お書きします・お書き申し上げます・お書きいたします
話す	お話しします・お話し申し上げます・お話しいたします
説明する	ご説明します・ご説明申し上げます・ご説明いたします

column 美化語とは

美化語とは、敬語の一種で言葉づかいを上品にして、敬語表現を含む文全体のバランスをとる語です。言葉の前など「お」「ご」を付ける形式と、言葉を言い換える形式の２つに分類されます。

例：お菓子、お薬、お片付け、ご挨拶、ご機嫌、
めし→ご飯、腹→おなか、汁（しる）→おつゆ

保育現場で美化語は話し言葉として、「お菓子を食べすぎないようにしましょう」「お片付けの時間ですよ」「おつゆは残さず飲みましょう」など使用されています。これら保育者が用いる現代の一般的な話し言葉は、保育を通じて子どもたちに受け継がれていきます。

また、「おにぎり」→「握り」、「お袋」→「袋」など、「お」を取り外すと意味が変わる言葉もありますので気を付けましょう。

ただし、これら美化語は書き言葉、特に公的な文書である実習日誌の記録では用いませんので、注意が必要です。

丁寧語

言葉づかいをていねいに表現し、上品でやさしい印象にすることで、聞き手に対して敬意を表す言葉を丁寧語といいます。

① 丁寧語の表現

基本的な丁寧語の表現として文の文末表現を常体（「だ・である」調）から敬体（「です・ます・ございます」調）に変えます。

通常表現	ていねいな表現
教科書はここにある	教科書はここにあります、教科書はここにございます
私は児童学科の学生だ	私は児童学科の学生です、私は児童学科の学生でございます
園児が園庭で保護者を待っている	園児が園庭で保護者を待っています

② 丁寧語の名詞

時や場所を示す普通名詞は、以下のように丁寧語の名詞に言い換えることができます。

通常表現	ていねいな表現
さっき、あとで	先ほど、後ほど
この間、その日、明日以降	先日、当日、後日
ここ、そこ、あそこ、どこ	こちら、そちら、あちら、どちら
これ、それ、あれ、どれ	
この人、その人、あの人、どの人	こちらの方、そちらの方、あちらの方、どちらの方

column よく使う敬語と誤って使っている言葉

よく使う敬語について一覧にまとめましたので参考にしましょう。目上の人や初めて会う人と会話をするときには正しい敬語で話すよう日ごろから慣れておきましょう。

場面	使用例
「挨拶」のとき	はじめまして、○○と申します / いつも大変お世話になっております
「感謝」を伝えるとき	大変うれしく存じます / 感謝申し上げます
「依頼」をするとき	お手数ですが○○していただけますか / 恐縮に存じますが、○○をお願いできないでしょうか
「確認」をするとき	もう一度おっしゃっていただけますか / ○○でよろしいでしょうか
「承知」するとき	承知いたしました / かしこまりました
「質問」をするとき	お伺いしたいことがあるのですが / 教えていただきたいことがあるのですが
「時間」をもらうとき	よろしければお時間を少々いただけないでしょうか / お手すきの際にお時間をいただけないでしょうか
「謝罪」するとき	申し訳ございません / 大変失礼いたしました / ご迷惑をおかけしました

またよく耳にする言葉で「なるほどですね」や「よろしかったでしょうか？」などがありますが、これは正しい表現ではありません。「なるほどですね」は「なるほど」「そうですね」を短縮してしまっているだけで、「おっしゃるとおりです」と正しく表現するようにしましょう。「よろしかったでしょうか？」も過去形でおかしい表現です。「よろしいでしょうか？」と使うようにしましょう。

間違いやすい敬語

「尊敬語」「謙譲語」「丁寧語」について確認してきました。それぞれどのような言葉が敬語であるのかを理解しても、正しく使うことができなければ敬語といえません。ここでは、間違いやすい敬語の例をいくつかあげますので、敬語の使用の方法を確認し正しく使えるよう学んでいきましょう。

尊敬語の間違い

自分側の人（身内・会社や園などで所属が同じ人）に尊敬語を用いてしまう間違いです。

CASE ① 園長に対して、身内（家族）からの言葉を伝える場合

✕ BAD
両親より、園長先生によろしくおっしゃってくれと申しつかりました。

○ GOOD
両親より、園長先生によろしく申し上げるよう申しつかって参りました。

CASE ② 実習生が保護者からの電話に対して園長が不在であることを伝える場合

CACE ①のように外部の人と話す場合、自分の身内の言動について尊敬語「おっしゃる」は使いません。「申し上げる」を使いましょう。

また、CASE ②のように外部の人と話す場合、たとえ園長など所属長であっても所属が同じ人の状況について尊敬語「いらっしゃる」は使いません。この場合、園長は身内となりますので「不在です」を使いましょう。

謙譲語の間違い

次は、相手の言動や状況について、尊敬語を使わず謙譲語を使う間違いです。

CASE ③のように所属する組織が同じ中で、所属長である園長の言動について尊敬語を使うべきところを、「知っている」の謙譲語「存じ上げる」を

CASE ③ 園の保育者同士の会話で

✕ BAD
園長先生もこの件は存じ上げています。

○ GOOD
園長先生もこの件はご存じでいらっしゃいます。

使っています。この場合は、尊敬語の「ご存じでいらっしゃる」を使いましょう。

CASE ④も同様で、尊敬語を使うべきところを「読む」の謙譲語「お読みする」を使っています。「お読みになりましたか」と尊敬語を使いましょう。

CASE ④ 園の主任保育者が園長に対して

✕ BAD
園長先生は、実習日誌をお読みしましたか？

〇 GOOD
園長先生は、実習日誌をお読みになりましたか？

丁寧語「ございます」の間違い

丁寧語の中で代表的な表現である「ございます」の使い方の間違いです。

CASE ⑤のように、丁寧語の「ございます」を尊敬する人に対して、この状況に使うのは適切ではありません。「いらっしゃいますか？」と尊敬語で話すようにしましょう。

CASE ⑤ 実習生が園長に対して

✕ BAD
園長先生はどちらの中学校の出身でございますか？

〇 GOOD
園長先生はどちらの中学校のご出身でいらっしゃいますか？

二重敬語の間違い

「二重敬語」とは、相手の言動や状況について、尊敬語を二重に使ったり、自分・自分に属する人や物の言動もしくは状況について、謙譲語を二重に使ったりする、過剰な敬語のことで不適切です。よく見られる間違いについて見ていきましょう。

CASE ⑥ 実習生が園長に対して

✕ BAD
園長先生は実習日誌をお読みになられましたか？

〇 GOOD
園長先生は、実習日誌を読まれましたか？

CASE ⑦ 実習生が園長に対して

✕ BAD
私は連絡帳をご拝読しました。

〇 GOOD
私は連絡帳を拝読しました。

CASE ⑥の BAD では、尊敬語の表現「お読みになる」と尊敬語の助動詞「れる」が二重に使われています。「〜読まれましたか？」もしくは CASE ④の GOOD のように「〜お読みになりましたか？」と話すようにしましょう。

CASE ⑦の BAD は、謙譲語の表現「お（ご）〜する」と謙譲語の動詞「拝読する」が二重に使われています。「拝読しました」もしくは、「〜お読みしました」とどちらか一つの敬語で話すようにしましょう。

保育の場でのコミュニケーション

みなさんは日常の生活で、どのような言葉を使っているでしょうか。実習中の大人とのコミュニケーションは、すべて敬語を用いることになります。普段、親しい友人とのコミュニケーションが中心である場合には、少し窮屈に感じるかもしれません。それは、普段友人同士で使っている言葉を使えないということがあるからです。ここでは、保育の場で気を付けたい言葉づかいについて確認しておきましょう。

気を付けたい言葉づかい

乳幼児期は、一生涯の中でももっとも大きな発達をとげる時期です。まわりの大人が使っている言葉は、良い言葉も悪い言葉もすぐに吸収します。まして、大好きな実習生の使っている言葉は、真似して使ってみたくなるものです。これは幼稚園や保育所、認定こども園に限らず、どの実習施設でも同じことです。では、どのような言葉に注意したらよいのでしょうか。以下に注意すべき代表的なものを取り上げてみます。

POINT

こんな言葉に要注意！

×「メッチャ」「チョー」	○「とても」など
×「マジで」	○「本当に」など
×「ウケる」	○「おもしろい」など
×「ウマい」	○「おいしい」など
×「カブる」	○「重なる」「同じ」など

×「ムカつく」「ウザい」「ヤバイ」→絶対使っては×

一人称に要注意

自分のことを名前で呼ぶことはやめましょう。

×「みーちゃんね……」「マリはねー」

子どもの呼び方に要注意

子どもを「コウタ」「ミユ」などと呼び捨てにしたり、「あんた」などと呼ぶことのないようにしましょう。

保育者にお願いする

園や施設では職員はチームで業務にあたっています。そのため、実習生と職員が協力して業務にあたることも多く、実習生が担任役となって保育を担当させてもらう責任実習では、保育者に補助をお願いする場面もあります。

実習生の立場では、なかなか保育者に業務を依頼することはむずかしいものです。そのようなときは、「～をお願いしてもよろしいでしょうか？」など、疑問形で依頼をしてみましょう。「〜してください」では一方的な要求に聞こえてしまいがちですが、疑問形ならば相手は断ることもできるので、相手の都合を優先させた依頼になります。

出勤・退勤時の挨拶

一日の始まりは、まず職員室での挨拶です。出勤時、退勤時の挨拶について、次のことを確認しておきましょう。

出勤時の挨拶について

○出勤時刻の 10 分前には着替えをすませ、実習に入る準備をしよう。
○職員室へ行き「おはようございます。本日も一日、よろしくお願いいたします」と挨拶しよう。この際、その日の実習クラス、実習目標などを伝えられる場合もある。
○実習クラスへ行き、実習担当の保育者に「本日○○クラスで実習させていただきます○○と申します。よろしくお願いします」と挨拶しよう。できれば、前日の実習終了後に打ち合わせを兼ねて挨拶をしておこう。

退勤時の挨拶について

○退勤時刻になったら、実習担当の保育者に退勤してよいか確認をとってから実習を終了する。実習クラスを退室する前に、「本日は、ありがとうございました」とお礼を述べよう。翌日も同じクラスで実習する場合には、翌日の実習内容や準備物などを確認しておこう。
○「お先に失礼します」と挨拶してから職員室へ行き、園長（施設長）、主任に「本日も一日ありがとうございました。明日もよろしくお願いいたします」と挨拶しよう。
○職員室を出るときには「お先に失礼いたします（「ご苦労様でした」は NG）」と挨拶しよう。
○更衣室や玄関で職員に出会ったら、「ありがとうございました。お先に失礼いたします」と挨拶しよう。

実習中に困ることが多いのが、退勤のタイミングです。特に保育所や施設では職員も時差出勤で入れ替わるため、必ずしも全員が実習生のその日の退勤時刻を知っているわけではありません。また、保育所では実習終了時がちょうど、子どもたちのお迎えで忙しい時間帯でもあります。忙しそうな職員の様子を見ると、退勤を申し出るタイミングがつかめないという声も聞かれます。退勤時刻になったからといってすぐに帰ってしまうのは考えものですが、退勤時刻を 30 分すぎても「あがっていいですよ」などの声がなければ、自分から職員に申し出るようにしましょう。

身近な人とのコミュニケーション

実習中には、親しい間柄にある相手に対しても、実習生（および社会人）という立場を意識したコミュニケーションが求められます。ここでは、子ども、保護者、保育者など、実習中のさまざまな人とのコミュニケーションの中でも、特に身近な人とのコミュニケーションについて考えてみましょう。

実習生同士のコミュニケーション

実習園は養成校によって選択できる場合や養成校から指定される場合などさまざまですが、いずれの場合でも実習生が複数になることが多いものです。同じ実習園へ行く実習生はオリエンテーションや反省会、掃除や出退勤の挨拶など、多くの実習場面を共にします。そして、こうした実習生同士のやりとりは、意外にも実習担当の保育者はよく見ています。

普段は仲のよい友人同士であったとしても、実習生同士のコミュニケーションでは次のことに気を付けましょう。

POINT

「○○さん」付けで呼び合おう

実習生同士で名前を呼び合うときは、名字に「～さん」を付けて呼びましょう。

その場にふさわしい言葉づかいをしよう

実習生同士で普段使っている言葉でも、保育の場にふさわしくない言葉（マジ、チョー、ヤバイなど、p.68 参照）は使わないようにしましょう。

子どもたちのモデルになろう

子どもたちが真似をしても困らないような振る舞いを心がけましょう。

知り合いの保育者・保護者・子どもとの話し方

実習園によっては、知り合いの子どもや保護者、保育者がいる場合もあります。あるいは、園児の中にきょうだいがいたり、親が職員であったりするケースもよく耳にします。

そのような場合、実習生としてどのようなことに気を付けたらよいでしょうか。養成校によってルールはさまざまですが、特に右のことに気を付けましょう。

POINT

家族がいる園・施設は避ける

家族がいる場合には、その実習園・施設は避けて実習させていただくようにしましょう。

どの子にも同じようにかかわる

きょうだいや知り合いの子どもがいるクラスで実習する場合には、ほかの子どもたちと同じようにかかわるよう心がけましょう。

名前を呼び捨てにしない

親しい間柄にある子どもであっても、名前を呼び捨てにすることはやめましょう。

個人的なかかわりは控える

知り合いの保護者がいる場合には、実習園での個人的なかかわりは控えるようにし、出会ったときは敬語でていねいな言葉で話しましょう。

個人情報は口外しない

実習で知り得た子どもや保護者の個人情報をむやみに口外しないようにしましょう（p.56 ～ 57参照）。

家族に協力をお願いする

実習期間中に緊急の連絡事項がある場合、実習園から家庭に電話が入ることがあります。そのため、家族にも実習中に協力をお願いしておくことが必要になります。

- 実習園の名称、所在地、電話番号を伝えておく
- 実習期間、実習スケジュールを伝えておく
- 実習園から連絡があった場合の対応についてお願いしておく

さまざまな会話例

話し言葉の中でも、敬語の基本や保育の場におけるコミュニケーションの留意点について確認してきました。ここでは実際に、実習や日常で出会うさまざまな場面での会話例から具体的に学んでいきましょう。なお、掲載している会話例（電話、目上の人、子ども、園）は想定上の一例です。養成校や実習園の指導内容を優先しましょう。

電話のかけ方

実習のオリエンテーション依頼時の電話のかけ方を例に練習していきましょう。オリエンテーションのアポイントの取り方や流れについてはp.28で確認しました。ここでは実際に自分の場合はどのような会話になるのか、確認ができたら□にチェックし、養成校からの留意点や実習園での配慮事項などあればmemo欄に書き加えましょう。

実習オリエンテーションの依頼時の電話のかけ方

memo

Step1 電話をかける場所や態勢は適切ですか、確認しましょう。

静かに会話ができる場所ですか？ □
携帯電話でかける場合は、電波状況は良好で、充電も十分に残っていますか？ □
メモが取れる態勢ですか？ □

↓ 電話が実習園につながりました。

Step2 まずは、TPOに合った挨拶の言葉を述べ、次に自分の所属と氏名を伝えましょう。

「初めてお電話させていただきます。○月から実習でお世話になります、○○大学○年の○○○○と申します」 □

↓ ✕「オリエンテーションの件でお電話しました。いつうかがったらいいですか？」

Step3 用件を簡単に述べましょう。

「本日は実習のオリエンテーションのことでお電話いたしました。園長先生もしくは実習担当の先生はいらっしゃいますでしょうか」 □

↓ 園長もしくは実習担当の保育者に取り次いでくださいました。 Step4へ

↘ 園「本日は園長（実習担当の保育者）は不在です」
担当者が不在でした。 Step8へ

園長（実習担当の保育者）が在園の場合

Step4 **自分の所属と氏名、具体的な用件を再度伝えましょう。また園からたずねられるまでは、こちらの都合を伝えることは控えましょう。**

memo

「この度は実習でお世話になります○○大学○年の○○○○と申します」
「本日は実習のオリエンテーションの日程をご相談したいと思いまして、お電話いたしました」 □

✕「ところで、実習オリエンテーションですが、○月○日が都合がよいのでお願いします」

日程の候補として、複数の日時の提示が園長（実習担当の保育者）からありました。

Step5 **自分が所属する養成校の方針に従って、日程やオリエンテーション内容を相談します。**

「○月○日の○時は、授業がございましてうかがうことができません。△月△日の△時でしたら結構ですので、貴園へお邪魔させていただきたいと思います。もし、保育に入らせていただけるのならば、上履きや外靴、ジャージを持参したいと思います。何か特別に持参したほうがよろしいものがございましたら、教えていただけますでしょうか？」 □

無事にオリエンテーションの日程と内容が決まりました。

Step6 **お礼を述べ、決まったことを復唱しましょう。**

「ありがとうございました。それでは、△月△日△時に貴園へお邪魔させていただきます。その際、○○と○○を持参いたします」 □

✕「わかりました。では失礼します」

Step7 **最後に実習のオリエンテーションをしていただくことをお願いする挨拶の言葉を述べましょう。**

「実習のオリエンテーションのご指導をどうぞよろしくお願い申し上げます。失礼いたします」 □

通話相手の方（たとえば園長・実習担当の保育者等）が電話を切ったことを確認したあとで電話を切ります。

園長（実習担当の保育者）が不在の場合

memo

Step8 **不在のときは日時を改め実習生のほうからかけ直しましょう。担当者から電話を折り返しかけていただくことがないようにします。**

「承知いたしました。それではまた改めてお電話いたします。園長先生（実習担当の先生）のご都合のよい日時を教えていただけますか？」 □

✕「それでは、私の携帯電話にかけてもらえますか？
番号は△△△ - △△△△ - △△△△です」

日時の指定がありました。

Step9 **電話をする日時を復唱し確認したあと、挨拶の言葉を述べましょう。**

「承知いたしました。それでは明日、○時ころにお電話いたします。どうぞ園長先生（実習担当の先生）によろしくお伝えください。失礼いたします」 □

目上の人との会話

次に目上の人との会話例についていくつか取り上げます。社会に出ると多くの場合、目上の人と接することになります。実習でも園長、実習担当の保育者や他の保育者、保護者と、実習生が出会う成人の多くは目上の人にあたります。目上の人とコミュニケーションをうまくとることで、実習もスムーズに行うことができるでしょう。

CASE ① **子どもの登園前、実習園の配属クラスの保育者との会話**

おはようございます。本日も実習でお世話になります。どうぞよろしくご指導をお願い申し上げます。

POINT **笑顔と共に前向きな気持ちを言葉に！**

笑顔と共に、日常では少していねいすぎるかと思うくらいの挨拶が実習の場では適当です。事務的もしくはいかにも暗記してきましたという印象を残さないよう、「今日もがんばろう！」という前向きな気持ちを言葉に込めましょう。

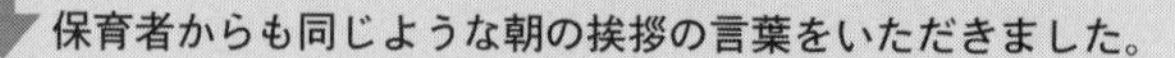

保育者からも同じような朝の挨拶の言葉をいただきました。

（子どもたちの登園前に）まずは前日と同じように○○○を行えばよろしいでしょうか。ほかにお手伝いすることがありましたら教えてください。

POINT **謙虚な気持ちを忘れずに！**

前日の流れを踏まえて、準備内容を確認します。「教えていただく」という謙虚な気持ちを忘れずに。

具体的な指示をいただきました。

承知いたしました。○○○を行えばよろしいのですね。

POINT **「了解です」はNG！**

目上の人からの指示に対して「了解です」「了解いたしました」の返答は不適切です。素直な気持ちと共に「承知いたしました」と言葉に出し、さらに指示内容を復唱しましょう。

CASE ② **園の関係者かどうかわからない人物が園内に入ろうとしている姿を見かけた場合**

失礼ですが、どなたか園児の保護者の方でいらっしゃいますでしょうか。
当園に何かご用でしょうか。私がご用件を承（うけたまわ）ります。

POINT **相手を刺激しない言い方で**

子どもの最善の利益が侵害されることが想定される場合、「恐れ入ります」「失礼ですが」などのクッション言葉をうまく利用し、相手を刺激しないで来園の趣旨をたずねます。

column **会話には親しみのある言葉も大切にしよう**

実習に少し慣れ、実習園の保育者との心理的な距離も縮まったと感じたころに、よそよそしい言葉を緊張した表情で声に出すのではなく、笑顔で少し打ち解けた言葉を使うと親しみが感じられます。ただし謝罪の場面では、反省の気持ちが込もったていねいな言葉を使いましょう。

例）ご指導をよろしくお願い申し上げます → ご指導をお願いします
承知いたしました → わかりました

CASE ③ **前日の実習日誌の指導をしていただいた場合**

園長先生と私（実習担当の保育者）で実習日誌を見ました。鉛筆で修正したほうがよい表現を書き入れました。なぜ修正したほうがよいか今から説明します。修正の方法はあなたが所属する養成校からの指導通りにしてください。

お忙しい中、実習日誌をご指導いただきありがとうございました。養成校からは、園で実習日誌修正のご指導をいただいた場合、修正前の表現を二重線で消して、修正後の表現をその横に赤字で記入するよう指示されています。いつまでに修正して、実習日誌を再提出したらよろしいでしょうか？

POINT **指導いただいたことへの感謝と修正方法・提出日の確認！**

実習生のために保育者がわざわざ時間を割いて指導してくださったことに対して感謝の言葉を述べると共に、修正方法、再提出日を確認しましょう。

明後日までに修正できますか？

はい。がんばります。それでは明後日の朝に修正した実習日誌を先生に再提出いたします。お目通しをよろしくお願いいたします。

POINT **できるだけ指示の日時に合わせる**

できない約束はしないほうがよいですが、できるだけ指定された日に提出できるよう努力しましょう。

≈≈修正後≈≈

先日、実習日誌のご指導をいただいた部分を修正してまいりました。先生にご指摘いただき間違いに気付くことができ、大変勉強になりました。ありがとうございました。

POINT **「大変勉強になりました」を使用しよう！**

「大変参考になりました」は、指導が参考程度にしかならなかったと受け取られる恐れがあるので使用せず、「大変勉強になりました」を使用しましょう。

修正部分を確認しておきますね。同じ間違いをしないようがんばってください。

ご指導ありがとうございました。

CASE ④ **来園者が園長との面会を希望しているが、園長が不在の場合**

本日、あいにく園長は不在でございます。ご足労をおかけし申し訳ございません。ただいま担当の者に連絡して参りますので、少々お待ちくださいませんでしょうか。

POINT **クッション言葉を活用！**

クッション言葉である「あいにく」「ご足労をおかけしますが……」、相手の都合をたずねる婉曲（えんきょく）的な表現「～くださいませんでしょうか」を組み合わせて使用しましょう。

子どもとの会話例

クラス担任の保育者と比較し、配属クラスの子どもが実習生の言葉に従わないことは、信頼関係が築かれていないことを考えると当然のことです。

また、子どもは発達の過程上にいますので、実習生が大人の目線で見ると、さまざまな発達上の課題や経験の少なさ、気付きの遅れが目につくかもしれません。

子どもたちとのかかわりの中でストレスをためることなく、充実した実習にするためにも、子どもたちのよいところに目を向け、子どもたちから学ぶ姿勢でいましょう。子どもたちに前向きな言葉をかけ、その発達を支援できる人になりましょう。

CASE ① **子どもたちが騒ぎ、実習生の話を聞かない場合**

先生の声が聞こえますか？　これからとても大切なことを話します。

POINT **あえて、小さな声で話す**

最初はわざと小さい声で話し、子どもが耳を澄ますよう促すなど、話す技術を用いながら言葉をかけます。

CASE ② **3歳児のけんかの場面で、けんかの詳細を子どもにたずねる場合**

（泣いている子に対して）どうしたの。何か悲しいことがあったようね。泣いていいよ。気持ちが落ち着いたら、先生に何が起きたのか話してください。（けんかの相手の子に対して）○○ちゃんが泣いているけれど、何が起きたのかしら。先生に本当のことを話してください。

POINT **それぞれの言い分を聞く**

どちらの子どもが悪いかなど、先入観を持たず、それぞれの言い分を聞くことから始めましょう。

※援助や言葉かけの内容は年齢や状況により異なります。

CASE ③ **ホールなどでの自由遊びから保育室内での設定保育に移る場合**

誰が一番早く片付けられるか、競走ですよ。（片付けが遅い子に対して）ほかのお友達が片付けの終わるのを待っています。先生も手伝いますから、一緒にがんばりましょうね。

POINT **前向きに片付けられるように**

遅い子への配慮も忘れずに、前向きに片付けられるよう声をかけましょう。

CASE ④ **昼食の際に複数の子どもから声をかけられた場合**

ごめんなさい。昨日○○ちゃんと約束して、今日は○○ちゃんの班で食べることになっていました。先生は今週中ずっと○○組にいますから、毎日順番にみんなの班に入ります。

POINT **子どもとの約束は必ず守る！**

信頼関係が築かれる途上では、約束を守ることに子どもたちは敏感です。約束がすでにあるのならば、それを必ず述べましょう。その上で、公平性を発揮してください。もしも各クラスへの配属期間が短く約束してもそれが実現できない場合は、「先生は今日で○○組のみなさんとお別れです。明日○○組に行きます。一緒の班でごはんを食べることができなかった○○ちゃんたちとたくさん一緒に遊びたいと思いますので、今日の降園前の園庭遊びでは一緒に遊びましょう」と、正直に話し、実現可能な代替え案を提案します。

園での会話

ほかに実習の際に考えられる具体的な会話例をあげてみます。

実習で遅刻は絶対にしてはいけませんが、もしも遅刻をしてしまったら実習園にどのように伝えたらよいでしょうか。また、忙しそうな保育者に質問したいとき、どのように声をかけたらよいか具体的に考えていきましょう。

CASE ① 実習開始時間に遅刻した場合

実習時間に遅れて大変申し訳ございません。以後、このようなことが二度とないよう気を付けます。お許しください。

POINT **まず必ず連絡を！**

必ず実習園へ、通常の出勤時間までに遅刻の連絡をしましょう。自分が所属する保育者養成校の指示通り、学校へも遅刻の連絡をします。

POINT **「すみません」ではなく「申し訳ございません」を！**

「すみません」は「相手に失礼なことをしてしまい、気持ちがすまない」という意味です。相手とぶつかった、園の器物を破損したなどの場合は、「すみませんでした」という言葉も使えますが、遅刻など自分の実習への取り組み姿勢に課題がある場合、反省の気持ちを込めて、よりていねいなお詫びの言葉「申し訳ございません」「お許しください」を使うのが一般的です。

気を付けないとだめですよ。遅刻の理由は何ですか。

昨夜、遅くまで実習日誌を書いていましたので目覚まし時計をセットし忘れ寝坊をし、バスに乗り遅れてしまいました。ご迷惑をおかけし、誠に申し訳ございません。今夜は目覚まし時計を忘れずにセットします。

POINT **理由は正直に答え、このようなことが起こらないための対策を伝えよう**

これから気を付けてください。

はい。以後、気を付けます。本日もどうぞよろしくご指導ください。

POINT **相手の注意の言葉に素直に従おう！**

CASE ② 実習園の保育者が忙しそうにしているときに質問をする場合

お忙しいところすみません。お聞きしたいことがあるのですが。

何でしょうか？

○○ちゃんへ先ほど先生がかけた『お家でもお片付けをがんばっているそうですね』という言葉かけには、どのような保育上の意図があるのでしょうか？

POINT **なるべくすぐに質問を！**

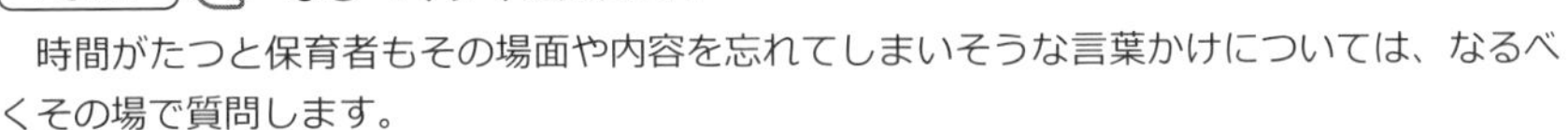

時間がたつと保育者もその場面や内容を忘れてしまいそうな言葉かけについては、なるべくその場で質問します。

ああ、あの言葉はね、○○ちゃんの保護者と連携して、○○ちゃんの生活の中で片付けることを習慣化させたいという意図のもと、褒めて、やる気を引き出そうと思ったのよ。

保育者の一つ一つの言葉かけに、保育上の深い意図があるのですね。大変勉強になりました。お忙しい中、ご指導いただきありがとうございました。

POINT **「大変勉強になりました」を使用しよう！**

忙しい中を割いての保育者の回答に対し、自分の学びが深まったことをていねいかつ簡潔な言葉でお礼の気持ちを伝えます。

話し言葉のトレーニング
（SST：ソーシャル・スキルズ・トレーニング）

話し上手になるためには、伝えたい内容を相手に正確に話すことができなければなりません。どんなにていねいに話しても、何を伝えたいかが相手に通じなければコミュニケーションが取れているとはいえません。ここではコミュニケーション技術の側面などを向上させ、困難な状況を解決していくための「ソーシャル・スキルズ・トレーニング」（SST）という技法を用いて話の要点をまとめる練習をします。このSSTの技法は、治療から学校教育まで幅広く活用されていますので、ぜひ参考にしてください。

経過報告の文章作成を通して話の要点をまとめる練習をしよう

実習の場面を想定して、相手に伝えたい話の内容をまとめる練習をします。実習では、事態の経過報告を求められることが多くあります。経過報告は端的かつ正確に要点をとらえて話さなければなりません。そこでいきなり話し言葉として練習するのではなく、ここではまず伝えたい内容の文章を作成し、それをグループ内で発表することで、話の要点をまとめる練習、そして話し言葉として相手へ伝える練習をしていきます。わかりにくいところや話すときの態度などをお互いに確認し合うとよいでしょう。

経過報告を文章にまとめグループで練習をしよう

次のCASEの内容やそのときの態度について考え文章にまとめてみましょう。作成したらグループで実際の場面を想定して練習をし、お互いの作成した内容について話し合いましょう。

CASE ①

Step1　次の実習での事例を読み状況を把握してみましょう。

実習中に実習園の先生方が私費を出し合って、実習生のためにおやつのケーキを買ってきてくださいました。実習生同士で休憩中、食べていたところ、実習生Bが休憩室のごみ箱に食べかけのケーキの残りを捨ててしまいました。それを見たあなた（実習生A）と実習生Bとで以下のやりとりがありました。

実習生A「せっかく先生方が用意してくださったケーキなのに捨てるなんて非常識よ」
実習生B「ダイエット中だから仕方がないじゃない。じゃあ、どうすればよいの？」
実習生A「お腹が一杯だったら“残りは自宅に持ち帰っていただきます”と言ってラップをもらい、それに包んで持ち帰ればいいじゃない。家族に残りを食べてもらう方法もあるでしょう」
実習生B「もう捨ててしまったから仕方がないわ。今度からはそうするね」

Step2　その後、次のような状況となりました。養成校の教員にどのように説明しますか。

その日の夕方、実習園の先生がケーキが捨ててあるのを発見しショックを受けて、たまたま実習巡回にやって来たあなたが所属する保育者養成校の先生にそれを伝えました。養成校の先生があなたに、「これはどういうことかしら？」とたずねました。

<養成校の教員への話の内容>

Step3 実習巡回後に実習園の保育者にどのような態度でどのように話しますか。

<態度>

<保育者への話の内容>

CASE ②

Step1 次の実習での事例を読み状況を把握してみましょう。

園庭で子どもたちと遊んでいると、目の前のジャングルジムでAちゃんとBちゃんの口論が始まりました。あなたの目線の高さのあたりで、ジャングルジムを降りようとするAちゃんが右足の靴底で、ジャングルジムを登るBちゃんの左手指をすれ違いざまに、踏んだことが原因です。Bちゃんが Aちゃんの足首を力いっぱい引っ張り、Aちゃんは転落してしまいました。Aちゃんはお腹を地面に打ち付けて泣いています。

Step2 あなたはこの事態をどのように保育者に説明しますか。

<保育者へ報告する話の内容>

CASE ③

Step1 **次の実習での事例を読み状況を把握してみましょう。**

居室内で実習園（施設）の高校生女子Ａさんと二人きりで話をしていたとき、以下のような会話がありました。

Ａさん 「お姉さんは、実習が終われば近くのコンビニまでお菓子を買いに外出できるよね」
実習生 「そうね。そのように施設の先生からは許可をもらったけれども、まだ外出したことはないのよ」
Ａさん 「今度外出したときに、クッキーを買ってきてくれない？　おやつや食事は園の栄養士さんがカロリー計算していて分量が決まっているから、夜お腹がすいて眠れないことがあるの」
実習生 「施設の先生に聞いてみるね。施設の先生の許可をもらわないと、実習生は勝手な行動はできない決まりなの」
Ａさん （急に不機嫌になり）「なーんだ。つまんない。信用するんじゃなかった。もうお姉さんとは口をきかない。部屋を出てって」

Step2 **実習園の児童指導員にこのことをどのように伝えますか。**

＜児童指導員への話の内容＞

保育場面での態度や言葉かけを文章にまとめ練習しよう

実際に起こり得る保育場面を想定し、そのときの態度や言葉かけについて、まず文章にまとめ、それをもとにグループで練習をしてみましょう。

態度や話す言葉を文章にまとめグループで練習をしよう

次の保育場面のCASEでの態度や話す言葉について考え文章にまとめてみましょう。作成したらグループで実際の場面を想定して練習をし、お互いの作成した文章内容について話し合いましょう。

CASE ①

Step1 **次の保育の場面での子どもの会話を読み、状況を把握してみましょう。**

園庭での自由遊びの際、園児Ａと園児Ｂから遊びに誘われました。

園児Ａ 「お姉さん先生、今日はドッジボールをして遊ぼうよ。ぼくのチームに入ってね」
園児Ｂ 「だめだよ、昨日お姉さん先生と約束したもん。今日は高鬼して遊ぶんだ」
園児Ａ 「なんだよ。高鬼なんておもしろくないよ。みんなあきちゃっている」
実習生 「　　　　　Step2　　　　　」

Step2 この会話のあとにどのように声をかけたら、みんなで仲良く遊ぶことができるでしょうか。かける言葉を考え書いてみましょう。

<言葉かけ>

CASE ②

Step1 次の保育の場面で状況を把握してみましょう。

保護者会帰りの保護者で廊下や玄関が混雑しています。実習生であるあなたは用事があり、急いでその場を通りすぎたいと思っています。

Step2 どのような態度で、どのような言葉を保護者にかけますか。

<態度>	<言葉>

CASE ③

Step1 次の保育の場面で状況を把握してみましょう。

実習最終日にクラス担任の保育者の配慮により、実習生とのお別れ会が開かれ、配属クラスの子どもたちからプレゼントをもらいました。

Step2 どのような態度で、どのような言葉であなたはお礼を言いますか。

<態度>	<言葉>

CASE ④

Step 実習後、実習園に実習日誌を提出に行きました。どのような服装と態度で、どのような言葉で園の保育者と会話をしますか。

<服装・態度>	<言葉>

話の要点をおさえる練習をしよう

要点をおさえて話すための練習として、昔話の構造を分析し要約をしてみましょう。このような練習をすることで、話のポイントを明確にとらえることができ、簡潔に話をまとめることができるようになります。

昔話の構造分析と要約をしてみよう

次の「桃太郎」の例にならい、「赤ずきん」の昔話の構造分析と要約をしてみましょう。

「桃太郎」の昔話の構造分析

冒頭　**いつ・誰が・どこで・何を・どんな人物**

・昔々。おばあさんが川で桃を拾う。桃太郎生まれる。力が強い。

発端　**何の事件（葛藤）が起きたか、なぜ事件（葛藤）が起きたか**

・鬼が金品略奪。子どもを誘拐。
・日本一の吉備団子を持って桃太郎は鬼退治の旅に出る。

山場・展開部分　**①最初に何が起こったのか、②次に何が起こったのか、③その次に何が起こったのか**

・犬と出会う。吉備団子をあげる。犬は桃太郎の家来になる。
・猿と出会う。吉備団子をあげる。猿は桃太郎の家来になる。
・雉と出会う。吉備団子をあげる。雉は桃太郎の家来になる。
・鬼ヶ島到着。鬼との戦い。

クライマックス・転換点　**最後に何が起こったのか、戦いはどうなったのか、誰が勝ったのか**

・桃太郎の勝利。鬼降参。
・鬼は桃太郎に宝物を差し出す。子どもを解放する。

結末　**事件はどのように決着したのか**

・桃太郎、故郷へ宝物を持ち帰る。子どもを連れ帰る。

終わり　**そのあと主人公はどうなったのか**

・みんなで幸せに暮らす。

「桃太郎」の昔話の要約例

昔々のお話。おばあさんが川で桃を拾いました。桃からは「桃太郎」が生まれました。力強く育った桃太郎は鬼が金品を奪い子どもをさらっていることを知り、日本一の吉備団子を持って鬼ヶ島へ鬼退治の旅に出かけました。途中、犬、猿、雉に出会い吉備団子をあげると、３匹は家来になりました。桃太郎は鬼ヶ島で鬼と戦い勝利しました。鬼は宝物を桃太郎に差し出し子どもを解放しました。宝物を故郷に持ち帰り、子どもを連れ帰った桃太郎はみんなで幸せに暮らしましたとさ。

Step1 「赤ずきん」の話の構造分析をしてみましょう。

冒頭

発端

山場・展開部分

クライマックス・転換点

結末

終わり

Step2 step1 の構造分析をもとに「赤ずきん」の話を要約してみましょう。

§2　書き言葉

話すことと書くことの違い

保育中、子どもや保育者との主なコミュニケーションの手段は、話すことです。

しかし、５～６歳児が自分のまわりに存在する文字に興味を覚え、就学するとまず文字の読み書きを学ぶように、私たちが文化を担う人となるには文字を読み書きする能力が必要となります。

井上ひさしは『自家製文章読本』で「書くということは、書き手が自分の精神の内側で考え、感じ、体験したことを、おごそかに云えば精神の劇を、ことばを使って読み手に提示することである。読むということは、右の経過を逆にたどることだ。ことばの列によって提示されていることをさかのぼって、書き手の精神の劇に立会い、ついにはその劇をわがこととして体験することである」といいます。

つまり私たちは読むことで、同時代に生きる人だけでなく、時間や空間を隔てて存在した人の考え、感じ、体験を追体験します。そして、書くことによって同時代に生きる人だけでなく、時間や空間を隔てて存在する人にそのときの自分の考え、感じ、体験を伝えるのです。このように書くことを通して話すことに比してコミュニケーションの幅が広がり、ときには自分自身で自分が書いたものを読み直すことによって、初心に戻ったり考えが深まったりすることがあります。

読み手が限定される実習日誌

実習中に毎日書く実習日誌、実習生にとっては課題の一つですが、読み手は実習園の保育者、保育者養成校の実習担当の教員、未来の自分に限定されます。

読み手が限定されるということは、書く目的や書く内容も限定されるということです。幼稚園教育実習の場合、たとえば①幼稚園の役割や特徴を知る、②子どもの発達の姿や興味・関心のあり方を知る、③環境構成や援助など幼稚園教諭の役割を知るという目的があると仮定すると、実習日誌の毎日の記載の中で、上記の①～③について、どのような観察と省察がなされているか、実習園の保育者は確認します。その上で、①～③に対するものの見方や実習日誌の書き方、文章表現に課題がある場合は指導をし、実習生によって修正が加わった実習日誌全体を振り返って学びの成果を最終的に評価するわけです。保育者養成校の実習担当の教員は、実習園の指導を経て養成校に提出された実習日誌の中の①～③

に関する記載を確認し、実習を通しての学びの深まりを確認し、さらに評価します。つまり、実習生は毎日の実習日誌では①～③について、観察と省察の内容を書けばよいわけです。

未来の自分のために実習日誌を書く

実習園や養成校から実習日誌の提出は求められますが、実習日誌は提出しなければならないから書くものではありません。しかし、実習中に毎日、実習日誌を記す作業の中で、このことが将来の自分にどのように結び付くのか見えなくなるかもしれません。

実習で得た多くの経験を実習日誌にまとめることで、自分自身の未来の学びにつながるのです。多くの人から信頼される保育者になるという夢を実現するのは、実習生自身にほかならないからです。苦労して書く実習日誌の内容を読み直し、振り返り、新たな学びを深めていきましょう。未来の自分のために実習日誌を書くと考えれば、実習日誌を書くことに抵抗がなくなります。

書き言葉が持つ「何度も読み返せる」というメリット

録音しない限り会話の内容は、発声した音が空中に消え去るのに伴って、あとには記憶の中にしか残りません。話す人のそのときの表情やしぐさなど非言語の要素が加わって、人の記憶に強い印象を残すことが話し言葉の特徴としてあげられます。

手紙の場合、書かれた内容を手紙をもらった人は何度も読み返すことができるという特徴があげられます。他者からの感謝の言葉は、何度その言葉を聞いても、何度その言葉を読んでもうれしいものです。また「ご指導をよろしくお願いします」という指導を願う言葉も、その言葉を発したり記したりする人の意欲が感じられて、何度その言葉を聞いても、何度その言葉を読んでもうれしく感じるものです。

頻繁に会って言葉を交わすことがむずかしい実習園の園長に対して、実習のお礼状や季節のご挨拶の手紙を実習生が送るのは、以上のような人間の心理に基づく行動です。

「手紙美人」という言葉がありますが、何度も読み返せるという書き言葉のメリットを理解した上で、実習でお世話になる保育者にあなたの印象をよく持ってもらいましょう。

POINT

- **読み手にとって、その状況が理解できるようわかりやすく書く**
- **重要な会話は話し言葉のままで「　　」内に書く**
- **子どもの見方や保育の見方など観察の視点で客観的に書く**
- **書くことによって自分自身を振り返り新たな学びを深めるという見通しを持って書く**
- **メモや実習日誌など保育時間内に記録する場合は実習園の許可のもと行う**
- **手紙や目上の人の言動を書く場合、敬語表現を用いる**
- **書かれた人（子どもや保護者など）のプライバシーや人権に配慮する**
- **実習日誌など公的文書の場合、書いたものの管理を徹底する**

実習日誌の書き方

幼稚園や保育所、認定こども園、施設など、どの実習でも毎日、実習日誌を作成し、提出することが求められます。実習日誌には何を記録し、それはどのような意味があるのでしょうか。ここでは、実習日誌の意義や書き方について確認してみましょう。

なぜ毎日実習日誌を書くのか

① 一日の保育を振り返り、自己課題や目標を明らかにする

日々の保育は、「計画→実践→反省・評価→改善」というサイクルを繰り返すことによって行われます。「明日は子どもたちとこんなふうに過ごそう」という計画のもとに実践する、そしてその日一日の保育を振り返って反省・評価し、明日の保育に向かうのです。

実習日誌を書くという行為はまさに反省・評価にあたる部分です。実習日誌を書くことを通して、その日一日の自分のかかわりや子どもの姿を振り返り、「今日は、子どもが泣いたときに何もできなかったけれど、明日は子どもの様子をよく見て、何を伝えようとしているのかを考えながら自分なりに対応してみよう」など、明日以降の実習の課題や目標を設定することができます。

② 保育者とのコミュニケーションツールとして

実習担当の保育者にとって、実習生がどのような課題を持って実習に取り組み、その日一日の中で何を学び、何に困難を感じたのか、こうしたことは実習生の動きを見ていてもわかりにくいものです。しかし、実習日誌を読むことで、保育者はこれらを理解することができます。保育者から適切な助言や指導をもらうためにも、実習日誌は大切なコミュニケーションツールとなります。

③ その後の保育の参考資料として

実習日誌は保育者の援助内容や活動の展開方法、自分の考えなどが記されているので、あとから読み返しても十分に参考となる資料です。さらにその後の実習で指導案を作成する際にも、実習日誌に記された活動の所要時間や年齢発達に応じた指導内容などが、大変参考になります。

実習日誌の構成と記録の種類

実習日誌の形式は養成校や実習園によって異なりますが、どの形式にも共通の内容としては、次のようなものがあります。

① 実習園の概要　名称、所在地、園長（施設長）名、職員数、園児数、教育（保育）方針など

② 毎日記入する基本事項

実習生氏名　実習クラス名　子どもの年齢　出席児数・欠席児数
実習日（○月○日　天候）　その日の実習の目標（実習のねらい）

③ 時間の流れに沿った記録（p.90、記録A）

実習日誌のうち、多くの頁を占めるのが時間の流れに沿った記録です。この記録では、時間、子どもの活動、保育者の援助・環境構成、実習生の動き・気付きなどの項目に分けて記入していきます。項目を分けることによって、誰が何を行ったのか、子どものどのような様子に対して保育者や実習生がどのような援助を行ったのかが整理され、読みやすくなります。項目の分け方は養成校や実習園によって異なりますが、ここでは一例を紹介します。

実習日誌に記載する項目と内容の一例

第（　　）日目		年　月　日（　）	実習生氏名（　　　）
天候（　　）		（　）歳児（　）組	出席（　）名・欠席（　）名
今日の実習のねらい			
時間	子どもの活動	保育者の援助・環境構成	実習生の動き・気付き

時　間　活動の節目ごとに時間を記録していきます。たとえば、好きな遊びをする、片付け、昼食準備、昼食、着替え、午睡、おやつなどがだいたい何時ころから始まって、どれくらいの時間をかけて行われるかがわかるように記録していきます。時間は、「順次登園」、「午前中の活動」、「昼食」、「午睡」、「おやつ」などの一つ一つの活動ごとに記録します。加えて、これらの準備や片付けについても記録しておくと、そのクラスでの活動の所要時間の見通しを持つことができます。

子どもの活動　実習クラスの子どもたちについて、そのときどきの様子を記録していきます。この記録が、保育者の援助や声かけ、さらには自分の援助を振り返り記入する際の軸となります。基本的にはクラス全体の動きについて記入しますが、それぞれに好きな遊びをしている場合には展開された遊びの様子を記入します。

保育者の援助・環境構成　実習クラスの担任保育者の動きを中心に記録します。子どもの動きと同様に、クラス全体にかかわる援助を中心にしながら、個別の援助を行っている場面があればあわせて記録しておきます。行為だけでなく、その背後にある意図をあわせて記入できるとよいでしょう。たとえば、午睡の時間が近付くころにカーテンを閉めていれば「入眠を促すためにカーテンを閉める」などです。また、環境構成については、空間や物の配置、子どもや保育者の位置がわかるような環境図（p.90 参照）を用いて示します。

実習生の動き・気付き　そのときどきに自分自身がどのような援助や声かけを行ったのかを記入していきます。このとき、自分なりに気付いたことや考えたことも記入しておくとよいでしょう。ただし、これらは実際の行為（客観的な事実）とは異なるので（　）などを付けて事実とは分けて書く工夫をするとわかりやすくなります。

④ **事例と考察**（p.91、記録B）

次に、実習の中で特に印象深い事柄を取り上げて、それに対する考察を記述します。ここでは、自分が見たり聞いたりした出来事を取り上げ、そこから学んだことや自分なりに考えたことなどを記述します。ここで気を付けるべきことは、その場面を見ていない他者が読んでもその場の状況や、やりとりが理解できる内容であるということです。さらに、その出来事を通して自分は何を学び、何を考えたのか、次に同じような状況に出会ったとき、自分はどのように対応したいのかを「考察」として記述していきます。これがないと、ただの感想となってしまい、学びの記録とはなりにくくなります。

⑤ **実習の反省・評価**（p.91、記録C）

その日の実習全体を通した反省・評価を記入します。実習園によっては、この記録が中心になる場合もあります。ここでは、まずその日の「実習のねらい」がどの程度達成できたのかを記述します。「十分達成できた」「あまりできなかった」ということだけではなく、どのような場面でどのような対応ができたのか、あるいはできなかったのかを具体的に記入しましょう。あわせて、この日の反省・評価を通して見えてきた今後の実習課題などを記述できるとよいでしょう。

POINT

5W 1Hを意識して

・いつ（When）　・なぜ（Why）
・どこで（Where）　・何を（What）
・誰が（Who）　・どのように（How）

学びの記録として

自分が何を見て、何を感じ、何を学んだのか、その経験を今後の実習でどのように生かしていくのかを記録するとよいでしょう。

注意したい用語の表記

実習日誌では、さまざまな保育用語を使います。中でも、みなさんが小学校から慣れ親しんだ言葉に似ているけれど、少し違った用語には注意が必要です。また、実習日誌は記録ですので、話し言葉とは表現が異なります。以下に、注意すべき表現をあげてみます。

① **小学校以上の学校教育で用いられる言葉との違いに気を付けよう**

正しい表現	誤った表現
登園（登所）※	登校
降園（降所）※	下校
保育室	教室
園庭（所庭）※	校庭

② **子どもへのかかわりについて、強制的・一方的な表現は使わないようにしよう**

正しい表現	誤った表現
……するよう促す 声をかける 伝える	……させる ……するよう指示する
……に気付くよう声をかける	……に気付かせる
……する	……してあげる

※保育所の名称が、「○○保育園」ではなく、「○○保育所」の場合には、登所、降所などのように「園」に代えて「所」を使うことがあります。どちらを用いたらよいのか自分の実習園に確認しておきましょう。

③ 話し言葉と書き言葉を使い分けよう

正しい表現	誤った表現
弁当・昼食	お弁当・お昼ごはん
午睡・昼寝	お昼寝
片付け	お片付け
排泄・トイレ	おトイレ
○歳児・年長児	○歳さん・年長さん
保護者	親御さん・親
……です。そこで そのため したがって	……です。なので
……してしまう	……しちゃう
……と言っていました	……と言ってました
……のような	……みたいな
……という	……っていう
……しなければならない	……しなきゃいけない

正しい表現	誤った表現
それでは、今から	じゃあ
さまざまな、いろいろな、多様な	いろんな
以上により、以上から	だから
思いのほか、意外にも	わりと
驚いた	びっくりした
大変、非常に	すごく
異なり、違い	違くて
(布団を)敷(し)く	(布団を)ひく

④ 保育者の呼称に注意しましょう

場	正しい表現	誤った表現
幼稚園	教師、幼稚園教諭、保育者、先生	保育士
保育所	保育士、保育者、先生	教師、教諭

※幼稚園教諭免許および保育士資格を有する認定こども園で働く職員を保育教諭といい、呼称としては、「保育者、先生、保育教諭」と呼びます。

実習日誌の提出の流れ

実習終了後、毎日自宅で実習日誌を作成したら、翌日の朝、決められた場所に提出します。実習日誌の提出から返却、再提出までの流れを確認しておきましょう。

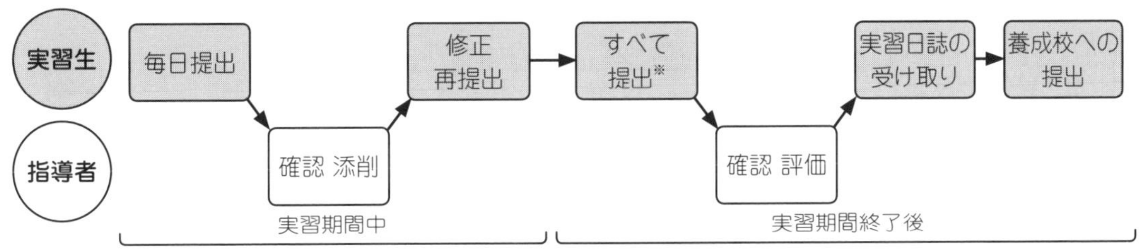

※実習先や養成校の指定する期日に必ず提出しましょう。実習最終日や実習終了後2～3日以内など、実習終了後すぐに提出を求められることが多いでしょう。

最後に、実習日誌に関する基本的なルールをおさえておきましょう。

POINT

提出前の基本的なルール

- 実習日誌は、すべてペンで記入しましょう（文字が消えるペンはNGです）。
- 毎日その日の実習日誌を記入しましょう。
- 漢字で書ける用語は読みやすさを考慮し漢字で書き、わからない漢字は辞書で調べましょう。
- 誤字・脱字のないように提出前に確認しましょう。
- 毎日、出勤したら決められた場所へ提出しましょう。

提出後の基本的なルール

- 実習担当の保育者から指摘された誤りは修正して再提出しましょう。
- 質問が書かれていたら、空きスペースや付箋紙に回答を記入して再提出しましょう。
- 実習がすべて終了したら、最終日の日誌と共にすべての日誌を提出しましょう。
- 実習日誌の受け取りは、アポイントを取ってから行きましょう。

実習日誌の一例（幼稚園・3歳児クラス）

第（ 1 ）日目	（○○）年（○）月（○○）日（○）	実習生氏名（ 田中　花子 ）
天候（ 雨 ）	（ 3 ）歳児 （ ぱんだ ）組	出席（20）名・欠席（ 3 ）名

今日の実習のねらい

・子どもたちの名前を覚える。
・ぱんだ組の一日の生活の流れを把握する。

A

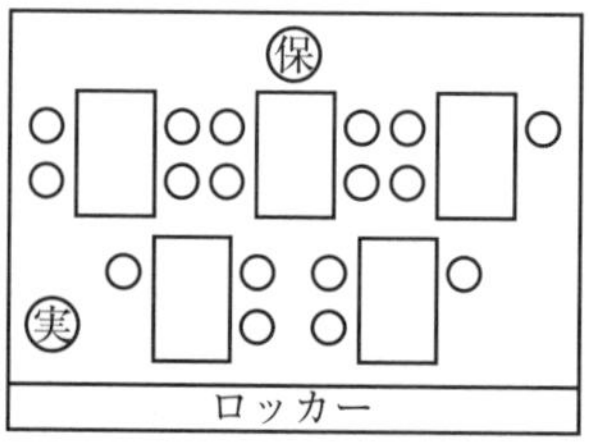

時間	子どもの活動	保育者の援助・環境構成	実習生の動き・気付き
8：30	○順次登園する ・登園した子どもから所持品を片付ける。	・登園してきた子どもたち一人一人に挨拶をし、視診をする。 ・連絡帳の記載内容を確認する。	・子どもたちに挨拶をして所持品の片付けを援助する。
9：30	○好きな遊び ・雨天のため、保育室内でブロック、お絵描き、ままごと、カルタ、工作など、好きな遊びをする。	・子どもたちの遊びを見守りながら安全に遊べるよう声をかける。 ・クリスマスカード作りの準備をする。	・子どもたちと一緒に遊ぶ。 ・Aくん、Bくんと一緒にブロック遊びをする。途中で、ブロックの取り合いになり、けんかの仲裁をする。
	○片付け ・遊びの場を片付ける。	・片付けるよう声をかける。 ・テーブルを出し新聞紙を敷く。	・片付けに時間がかかっている子どもたちを手伝う。
10：25	○歌「あわてんぼうのサンタクロース」	・子どもたちにもうすぐクリスマスがくることを伝え、クリスマスの歌を歌う。	・子どもたちと一緒に歌を歌う。
10：30	○クリスマスカード作り	・椅子を持って、生活グループごとに座るよう声をかける。 <保育室> 保　実　ロッカー	・クリスマスカードとクレヨンを配る。
	・クリスマスカードに好きな絵を描く。	・もうすぐクリスマスであることを伝え、クリスマスカードに好きな絵を描くよう伝える。	・なかなか描き出せない子どもに、好きなものをたずね、絵を描くことを促す。
	・完成した子どもから実習生のところへカードを持って行く。	・完成した子どもから、実習生のところへ行き、名前を書いてもらうよう伝える。	・完成した子どものカードに名前を記入し、壁面に掲示する。
11：15	○昼食準備 ・完成した子どもからクレヨンを片付け、手洗い、排泄、昼食準備をする。	・完成した子どもからクレヨンを片付け、排泄、手洗い、昼食準備をするよう声をかける。	・テーブルの新聞紙をはがし、テーブルを拭く。 ・子どもたちにお茶を配る。
	［Cくんは他児が昼食の準備をする中、最後まで一生懸命に絵を描いていた。］	［最後まで描いているCくんには、Cくん自身が区切りをつけるまで傍らで見守っていた。］	

事例と考察「受け止めること、指導すること」

今日はＡくんへの対応方法について多くのことを学ぶことができました。

自由遊びの時間には､Ａくんが作っておいた作品をＢくんに壊されてしまいました。詳細を聞くと、Ｂくんは故意ではなく、使いたかったパーツを探してＡくんの作品と知らずに壊してしまったようでした。Ａくんは壊されたことに怒り、Ｂくんに噛み付きそうになり慌てて止めに入りました。ＡくんにもＢくんにも、お互いの気持ちが伝わるように代弁してみましたが、Ａくんはしばらく興奮していました。

私はＡくんに「せっかく作ったのに残念だったね」と言うことしかできなかったのですが、それを遠くから見守っていた保育者が「Ａくん、明日お天気になったらまたお庭でサッカーしようか」と声をかけました。すると、Ａくんは泣きながらも「サッカーする」と返事をして徐々に落ち着いていきました。あとから保育者にたずねると、Ａくんは最近体調が悪く、大好きなサッカーができずにいたそうです。ようやく体調が戻ったのですが、昨日は使いたかったゴールが使えず、明日こそはやろうと楽しみに登園してきたのですが、今日は雨だったのでサッカーをすることができなかったとのことでした。楽しみにしていたサッカーができなかったことを保育者に理解してもらえたことで、Ａくんは気持ちを切り替えることができたのかもしれないと思いました。

また､保育者はＡくんがクリスマスカードを丸めてしまった場面でも、厳しく注意するのではなく､穏やかな口調で「大丈夫」と伝えていました。保育者に理由をたずねると、Ａくんはとても緊張していたことから「失敗」に強い不安感を持っており、間違ってしまいどうしてよいかわからなくなったのだと思う、と教えていただきました。養成校の授業でも、気になる子どもへの対応では「～してはだめ」という言い方ではなくなぜそうしたのかを考えることや､「～してみよう」と肯定的に伝えることが大切と学びました。Ａくんへの対応を見て､改めてこのことの大切さを学ぶことができました。

その一方で、保育者はＡくんがほかの子どもの髪を引っ張ってしまったときなどには、いけないことはいけないとはっきりと伝えていました。私は「Ａくんだから仕方がない」と思い、曖昧な対応をしてしまったのですが、人を傷付ける行為に対してはいけないと教えることも大切な指導であると思いました。

B

実習の反省・評価

今日は、実習初日だったので､「子どもたちの名前を覚える」､「ぱんだ組の一日の生活の流れを把握する」という２つのねらいを立てて実習しました。

１つめの「名前を覚える」というねらいはあまり達成することができませんでした。子どもたちが登園すると「お姉さんお勉強に来たの？」「一緒に遊ぼう」と声をかけてくれて、楽しく過ごすことができました。しかし、たくさんかかわった子どもの名前は覚えられましたが、あまりかかわりを持てなかった子どもの名前は覚えることができませんでした。

今日は、自分のところに寄ってきてくれる子どもと遊ぶことが多かったように思います。明日は私のところにこない子どもたちにも、自分から積極的に声をかけてかかわりを持ち、名前を覚えられるようにしたいと思います。

２つめの流れを知るというねらいは、子どもたちと遊ぶことに夢中になってしまい、あまり達成することができませんでした。実習日誌を書きながら、改めて今日一日の生活の流れを振り返って見ると保育者の「～するよ」という声かけを聞いて、子どもと一緒に動くことばかりでした。そのため、次にどのような活動が行われるのか、そのためにどのような準備をするのかということも把握することができませんでした。明日は、生活の流れを頭に入れながら、次に自分が何をしたらよいかを考えて動くようにしたいと思います。明日も一日、ご指導よろしくお願いいたします。

C

指導者からの助言・指導

※本書に掲載している実習日誌例の「事例と考察」および「実習の反省・評価」の欄では、「です・ます調」で記述していますが、養成校や実習園によっては「だ・である調」で記述するよう指導される場合もありますので、養成校や実習園の指導に従って記述するようにしてください。

レポートの書き方と原稿用紙の使い方

養成校の授業でもレポートや作文の提出を求められることがあります。養成校によっては卒業時に卒業論文を提出しなければならないこともあるでしょう。さらには就職試験でもレポートや作文の提出を求められることも多くあります。レポートには事実を正確に伝える報告書と、理論に基づいて意見をまとめた論文（小論文）があります。また、作文は自分自身の体験などに基づく感想をまとめたものです。

保育の場は保育日誌、報告や事例記録のまとめ、園内外の研修や各種学会での論文の発表など、文章をまとめる機会が多くあるでしょう。ここでは基本的なレポートの構成の仕方と原稿用紙の使い方などについて確認していきましょう。

レポートを書き始める前に

レポートを書き始める前に、提出するレポートの内容を確認しましょう。何のために書くのか、授業や保育の実践事例などの報告書か、小論文かなどを確認します。そして、書くために必要な資料を用意しましょう。報告書であれば報告すべきノートやメモなど、小論文であれば論ずる研究などが必要になります。書くための参考とする書籍や先行研究なども用意します。

次にレポートの体裁について下記にポイントとしてまとめましたので確認しましょう。

POINT

レポートの分量、サイズを確認しよう

用紙のサイズ（Ａ４かＢ５かなど）と横書きか縦書きか（レポートの場合、通常は横書き）について確認しましょう。レポート全体の分量（頁数、文字数）、１頁あたりの文字数（１行の文字数 × 行数）について確認しましょう。

表紙や要旨の有無などを確認しよう

表紙および表紙に記載する内容、目次の有無、頁番号の位置、表題、所属、学籍番号、氏名を書く位置と文字の大きさも確認しましょう。要旨を付ける必要の有無や付ける場合は要旨の分量（字数）と掲載の位置などについて確認します。

手書きかワープロ（ソフト）で作成するのかを確認しよう

手書きかワープロかについて確認しましょう。ワープロの場合、文字のフォント（字体）の種類と文字の大きさ（ポイント数）に指定があるかどうか確認しましょう。

文体について確認しよう

文末表現が常体（だ・である調）か敬体（です・ます調）か確認しましょう（通常は常体）。

構成上に指定があるか確認しよう

必ず「調査方法」という節を設けるなど、構成上に指定があるか確認しましょう。そのほか、記号、漢字、図表などの使用制限の有無や調査の概要の書き方に指定があるか確認しましょう。

レポートの提出期限と方法を確認しよう

提出日時の確認、提出方法（メール添付、手渡しなど）と提出場所について確認しましょう。

レポートの基本的な構成

レポートの基本は、「何かについて調べ、その結果からわかることを報告する」ものです。基本的なレポートの構成は下記の通りです。

① 表題（タイトル、題目、題名、論題、テーマ）

表題は内容を代表するものであるので、書かれている内容に適したものを付けましょう。明確で、簡潔に表現されていること、強調したい点が要領よく表現されていること、表題を見て本文を読みたくなるようなものがよいでしょう。

② はじめに（序論、調査・研究の目的）

序論は本論に入る前のもので結論と並んで本文を代表するものです。なぜこのテーマを選んだかなど、研究の主旨や目的についてまとめるとよいでしょう。

③ 内容（研究や文献など具体的なデータ）

根拠となる研究の目的、対象者、日時、場所や取り上げる文献などについて、最新のデータや実例を具体的にまとめます。他者の文章を引用する場合は「　　　」や二字下げ等を行い、文章をそのまま引用します。

<引用文の場合>

……福嶋も、事実上「（筆者注：質形容詞の非過去形と過去形について）具体的な時間にしばられているか、いないか」[注1]という観点から考察を行った。

注1：福嶋健伸「いわゆる質形容詞の非過去形と過去形について」筑波大学大学院博士課程文芸・言語研究科、日本語学研究室『筑波日本語研究』第2号、1997、p.117 ～ 132

④ 結果・考察（文献研究結果、事例研究結果、調査研究結果など）

③の内容を結果としてまとめます。結果は調査研究などであれば、表、図などを使用しわかりやすく表記しましょう。結果から自分自身の意見についてまとめ考察とします。

⑤ おわりに（結論、結び）

結論は最終的な結果を述べるところです。たとえば④の結果・考察を要約して箇条書きに列挙した上で、それに対する自分の意見を記すとよいでしょう。はっきりとした結論が出ない場合には、「今後、継続してこの問題に取り組みたい」などとまとめるとよいでしょう。

⑥ 参考文献（引用文献）

最後に、参考および引用した文献についてまとめます。掲載する内容は下記のとおりですが、掲載順や掲載方法は提出先の指定に従いましょう。

<雑誌論文の場合>

著者名＋「論文タイトル」＋雑誌発行団体＋『雑誌名』＋巻号数等＋発行年＋掲載頁

例）福嶋健伸「いわゆる質形容詞の非過去形と過去形について」筑波大学大学院博士課程文芸・言語研究科、日本語学研究室『筑波日本語研究』第2号、1997、pp.117 ～ 132

<図書の場合>

著者名＋『図書名』＋出版社＋発行年

例）橋本修・安部朋世・福嶋健伸『大学生のための日本語表現トレーニング―スキルアップ編』三省堂、2008

※なお、発行年は参考にした版の年を記載します。改訂版を参考にしたのであれば、改訂版の発刊された年（改訂版が初めて刷られた年）を記載します。

原稿用紙の使い方

養成校で提出するレポートや就職時の作文など、原稿用紙を用いての提出を求められることがあります。ここでは、原稿用紙の使い方について確認していきましょう。

表紙を付ける場合は図1、付けない場合は図2を参照してください。図3には横書き原稿用紙、図4には縦書き原稿用紙の例を示しましたので確認しましょう。

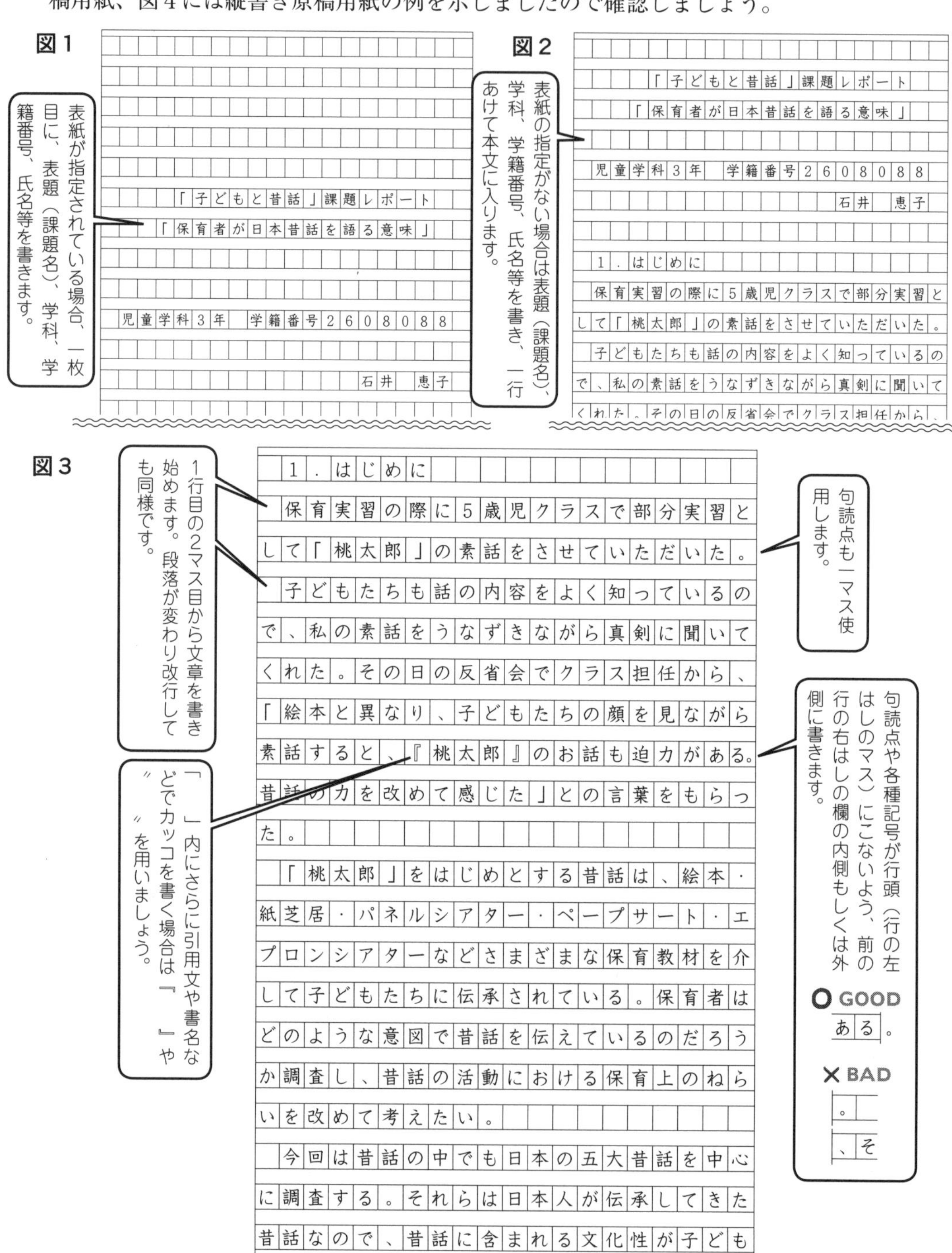

図4

一．はじめに

保育実習の際に五歳児クラスで部分実習と
して「桃太郎」の素話をさせていただいた。
子どもたちも話の内容をよく知っているの
で、私の素話をうなずきながら真剣に聞いて
くれた。その日の反省会でクラス担任から、
「絵本と異なり、子どもたちの顔を見ながら
素話すると、『桃太郎』のお話も迫力がある。
昔話の力を改めて感じた」との言葉をもらっ
た。

「桃太郎」をはじめとする昔話は、絵本・

縦書きの場合は、基本的には数字は漢数字を使用します。

横書きの場合も縦書きの場合も改行がないと、めりはりがなく読みにくくなります。400字詰め原稿用紙1枚で3回程度は改行するとよいでしょう。

また指定された枚数がある場合は、最後の行まで文章を書きましょう（指定の文字数の最低でも9割は書きます）。

試験など時間が限られている場合でもていねいに書くように心がけましょう。手書きの文字に自信がなくても、ていねいに書いた文字は読み手に伝わります。

レポート用紙の書き方

最近ではレポートは、パソコンのワープロを使用して提出することも多くなっています。ワープロでのレポートの書き方も基本的には原稿用紙と同じです。特に気を付けたい点については下記にまとめましたので参考にしましょう。

POINT

1頁の文字数を設定しよう

指定されている用紙のサイズ、1行で何文字で1頁何行であるのか、ワープロのレイアウト機能であらかじめ設定しておきましょう。

誤字脱字に気を付ける

手書きの場合と異なり、ワープロの場合、間違った文字変換など誤字脱字に気付きにくくなります。レポートを作成したら用紙に印刷して誤字などがないか国語辞典を用いてチェックしましょう。

他人の文章をそのまま使用しない

インターネットなどに掲載されている文章をそのままコピーして使用してはいけません。著作権侵害の問題になります。他人の文章は自分のものではありません。十分に気を付けましょう。

数字や慣用句などの書き方にも気を付けよう

原則として横書き文書で数字を書く場合、算用数字を用います。読みやすいように3ケタごとに「,」（カンマ）を打ちます。原則は1マス1字ですが、連続する数字の場合は1マスに2字書くようにします。なお、基準となる単位や慣用句、固有名詞の場合は漢数字を用います。

【数字の表記例】

3,4	0	0	人

1	千	人

【慣用句や固有名詞の表記例】

二重まぶた　百足　八つ手　一部分　一般的　四捨五入
七夕　数十人　お二人　お三方　八方美人　八十八夜
二百十日　五十歩百歩　値千金　四大文明　三輪車　百済

レポート・作文の構成のコツ

実習日誌の考察欄など、文章の分量が決まっているレポートや作文に「刑事コロンボ」方式もしくは「古畑任三郎」方式は適しています。刑事コロンボや古畑任三郎のテレビドラマを視聴したことがある人もいると思いますが、これらのドラマは犯罪推理ドラマとして同じ構成となっています。最初に犯人がトリックを駆使して罪を犯す場面が登場し、視聴者は犯人が誰かを冒頭で知ります。続いて刑事コロンボや古畑任三郎といった主人公が登場し、犯人（その時点では容疑者）を事情聴取しながら、ユニークな方法で捜査を続け、次第に犯罪の原因と経緯を突き止めていきます。最後に犯人にその原因と経緯を説明してみせて、犯行を認めさせるという流れです。この最終場面で、犯行の深い動機など新事実が判明し、なるほど、と視聴者は納得するという構成です。つまり、これを言い換えると右のような流れが見えてきます。参考までに（　）内に推理ドラマにおける象徴的な事象を記しました。

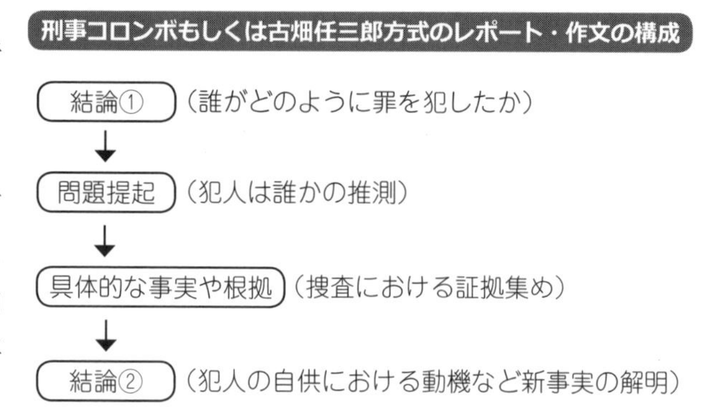

実習日誌の考察欄を例に考えてみましょう。その日の保育の中で見付けたエピソードや保育者の指導を振り返り、そこから何がわかったのか、何に気付いたのか、翌日の保育にどのような学びを生かすのか、記すことを目的とします。つまり「エピソードからわかったこと」「保育者の指導から気付いたこと」「翌日の保育に生かす学び」が「結論」に相当します。

具体的なエピソードやうまくいかなかったことが「問題提起」、エピソードに対するさまざまな視点（保育者の助言、子どもの心理・子どもの発達段階をはじめ保育に関する学びなど）からの解釈が「具体的な事実や根拠」に相当するといえるでしょう。

column 見出しの付け方のポイント

卒業論文などのある程度の頁数にわたるレポートの場合、内容（本文）は読みやすさを考慮し、章、節、項などに分けて構成します。構成の仕方は提出先の指定に従いますが、通常は論文全体のボリュームに合わせ、「章」の中に「節」、「節」の中に「項」をいくつか設けます。これらの章、節、項には、そこに書かれている内容をわかりやすく示した「見出し」を付けます。

見出しは１行程度に収まる簡潔なものがよいでしょう。また、「幼稚園と保育所の保育時間はなぜ違うのだろうか」といった文章での表現より、「幼稚園と保育所の保育時間の違い」といったようにまとめると簡潔でわかりやすくなります。また、章と節に同じ見出しを付けると紛らわしくなるため、同じにならないように気を付けましょう。

悪い例）第１章　保育所給食の現状
　　　　第１節　保育所給食の現状

良い例）第１章　保育所給食の現状
　　　　第１節　保育所での給食の実態

レポートの構成例

CASE ① 実習日誌における今日の保育の考察の書き方

私は本日の保育から、保育者が立ち位置を意識することの大切さを学びました。 【結論①】

降園前の園庭での自由遊びの場面で、私は園庭中央付近で、配属クラスの4歳児の子どもたちが一輪車に乗るのを援助していました。まだバランスがうまくとれない女児Aちゃんが片手で私のひじをつかむので、Aちゃんが一輪車をこぐ速さに合わせて私もAちゃんの進む方向へ歩いていました。そのとき、私の後ろで男児Bちゃんが一輪車を園庭の東側に位置する砂場で遊ぶ3歳児のほうへ急発進させたことに気付きませんでした。 【問題提起①】

東門付近にいらっしゃった○○先生が、砂場に走って行き、Bちゃんを全身で受け止めたので、3歳児に怪我はありませんでした。 【問題提起②】

子どもたちの降園後に○○先生から「保育室内でも園庭でも、保育者はその空間における子どもたちの活動全体が見渡せるような立ち位置にいて、周囲の子どもの安全に気を配る必要がある」と助言をいただきました。 【事実や根拠①】

「環境指導法」の授業で保育者も環境の一部だと学びましたが、子どもの安全が保障される人的環境のあり方として、集団全体が見渡せるような位置に保育者がいることが大切だと、園庭での出来事と○○先生の助言から深く理解しました。 【事実や根拠②】

明日の実習では、保育者の立ち位置と動線を意識して子どもたちとかかわり、人的環境のあり方についてさらに学びたいと思います。 【結論②】

CASE ② 題名「保育において大切にしたいこと」という一般的な就職作文の書き方

私が保育において大切にしたいことの一つに子どもの目線に立つことがあげられる。 【結論①】

1年次の保育所実習で子どもの目線に立てなかったばかりに安全への配慮に気付かなかったことがある。実習初日、子どもたちが降園した後、3歳児の保育室を掃除していた私は保育室内の柱に大人のてのひらくらいの大きさの小さなぬいぐるみが毛糸で結び付けられていることに気付いた。ほかの柱を見るとやはり小さなぬいぐるみが結び付けてあった。「きっと、子どもたちが習ったばかりのリボン結びを試しにやってみたくて、いたずらしたのね」と思った私は、気を利かせたつもりでぬいぐるみを柱から取り、おもちゃ箱にしまった。 【問題提起】

翌朝、クラス担任の保育者がおもちゃ箱からぬいぐるみを取り出し柱に毛糸で結び付けているのを見て、私は驚いた。そのねらいを保育者にたずねると、「3歳児の視力は統合的でないので、柱に注意が及ばず、頭を柱にぶつけることが度々ある。柱に注意を集めるために3歳児の目線の高さにぬいぐるみを結び付けている。子どもが仮に柱に頭をぶつけてもぬいぐるみがクッションになって大きな怪我に繋がらないというメリットもある」との回答を得た。これはまったく私に欠けていた安全への配慮だったので、前日の環境整備を反省すると共に大変勉強になった。 【事実や根拠】

以上の事例から、保育の場において子どもの心身の発達を踏まえた環境への配慮が子どもの安全管理に繋がることを学んだ。

ぬいぐるみが気になるという3歳児の心理的な目線と、3歳児の目線の高さにぬいぐるみを結び付けるという物理的な目線を組み合わせて、安全への配慮ができる保育者を尊敬すると共に、私も子どもの目線に立った保育を心がけたいと思う。 【結論②】

さまざまな文書の書き方

さまざま文書の書き方の基本

社会人として、保育者として社会に通用するさまざまな文書の書き方について確認しましょう。社会人として、はずかしくないように、ここではハガキの書き方、封書での手紙の書き方、履歴書の書き方について学んでいきます。ハガキや手紙の書き方には作法（ルール）があります。これらの基本的な作法を間違うと、相手に常識がないと思われてしまいます。しっかりと確認しましょう。

また、保育者は、連絡帳の記載など日常的に文字を手書きする機会が多い職業です。手書きの字に自信がない人は、ペン習字のテキストなどに取り組み、美しく読みやすい字を書くように努めましょう。美しい文字はよい印象を与え就職の際にも有利です。

以下、手紙の書き方のポイントを示しますが、これはすべての文書における基本的な注意事項にも共通します。

POINT

心のこもったていねいな字を手書きして手紙を作成する

手紙などは心を込めてていねいに手書きをしましょう。また、読む人のことを考え、字は濃く大き目に書きましょう。平均的な文字の大きさとしてワープロの明朝体 11 ～ 12 ポイント程度を目安に考えます。

筆記具は黒色またはブルーブラック色のボールペンか万年筆を使用する

下書きを鉛筆で行う場合、鉛筆書きの文字を 2 ～ 3 文字もしくは1行ずつ消しながらペンで清書するとよいでしょう（ペンで清書した後に一度に消しゴムで消すと、インクがにじんで紙面を汚すことがあります）。

基本は縦書きで

基本的に縦書き文章を作成します。数字の記載の場合、縦書きは漢数字を用い、横書きは算用数字を用います。

宛先（宛名）・差出人を正しく表記する

会社へ文書を出す場合は、

「○○株式会社（会社名）、○○部（所属部署名）、部長（役職名）、○○○○様（担当者名）」

園へ文書を出す場合は、

「○○保育園園長（○○保育所所長、○○幼稚園園長、○○施設長）　○○○○先生」

と園長（所長・施設長）先生宛とします。また、自分の住所・氏名・所属（○○○大学○年）を忘れずに、差出人欄に書きましょう。

2行以上に文章が続く場合

行の切れ目が文節の切れ目になるように配慮します。

文面は謙虚な姿勢を忘れずに

実習後のお礼状の場合は、「ありがとうございます」という感謝の気持ち、実習前の挨拶状の場合は、ご指導をしていただくことに対して「よろしくお願いいたします」という謙虚な姿勢を忘れずに気持ちを込めて書きましょう。

同じ内容の手紙が何通もいかないように

たとえば、複数の実習生が同じ園に実習に行った場合のお礼状など、文面がまったく同じようにならないよう実習生同士で内容を相談し、一人一人別々に出しましょう。もちろん代筆は不可です。

季節の挨拶状

季節の挨拶状は届く日を意識して送る相手を気づかう目的の手紙です。暑中見舞いであれば夏の暑さ、寒中見舞いであれば冬の寒さ、それぞれに相手の健康を気づかう文面となります。季節の挨拶状に共通する注意事項は下記の通りです。

POINT

控えめなハガキを用いる

日本郵便株式会社発売の季節にあった郵政ハガキ（旧名は官製ハガキ）を用います。毎年季節ごとに販売するくじつきハガキや控えめなイラスト付きのハガキを用いるのが無難です。文字や文章を書き間違えた場合、ハガキ交換（有料）が郵便局で可能なので経済的です。

季節の挨拶の言葉と賀詞を書く

冒頭の季節の挨拶の言葉（「暑中お見舞い申し上げます」等）と賀詞（「新年のお慶びを申し上げます」等）はほかの文字よりもやや大き目に書きます。これら季節の挨拶の言葉と賀詞の文末には、句点「。」を付けません。

差出人は所属などもきちんと表記

ハガキの差出人欄が狭く書き切れない場合は、自分の住所と氏名のみを書き、所属（○○○大学○年）と氏名を、ハガキの通信文面の最後に記します。

まっすぐ書く

文字をまっすぐ書くのが苦手な場合は定規を使用して鉛筆で罫線を薄く引くとよいでしょう。

季節ごとに出す挨拶状の種類と意味、また、どのような時期に届けるのがよいのかを一覧にまとめました。確認しておきましょう。

季節の挨拶状	挨拶状の意味	いつまでに届けるか
暑中見舞い	夏の暑い時期に相手の健康を気づかう	梅雨明けから立秋（8月7日ごろ）の前まで
残暑見舞い		立秋以降から8月末日ころまで
年賀状	新年を祝い、昨年の御礼と当年も変わらぬ付き合いを願う	元日に届くように（12月25日ごろまでに投函する）
寒中見舞い	冬の寒い時期に相手の健康を気づかう	小寒（1月7日ごろ）から立春（2月4日ごろ）の前まで

※なお、立秋や小寒、立春は毎年、若干日が異なります。手紙を出す年のカレンダーを確認しましょう。

column ていねいなハガキや手紙で円滑な人間関係を

実習生から実習園へ送る折々の手紙は、実習園の保育者に実習生の人柄と学びの近況を知っていただくよい機会となります。実習日まで期間がある場合や、同じ園に実習に行く場合は季節の手紙、実習が終わったらお礼状などを送ります。その結果、実習園の保育者は実習生に親近感を抱き、オリエンテーションや実習が円滑で温かなものになり、実習しやすい環境につながるでしょう。

ハガキの書き方

実際にハガキの宛名（および差出人）の書き方とそれぞれの季節の挨拶状の文例とそのポイントを確認しましょう。

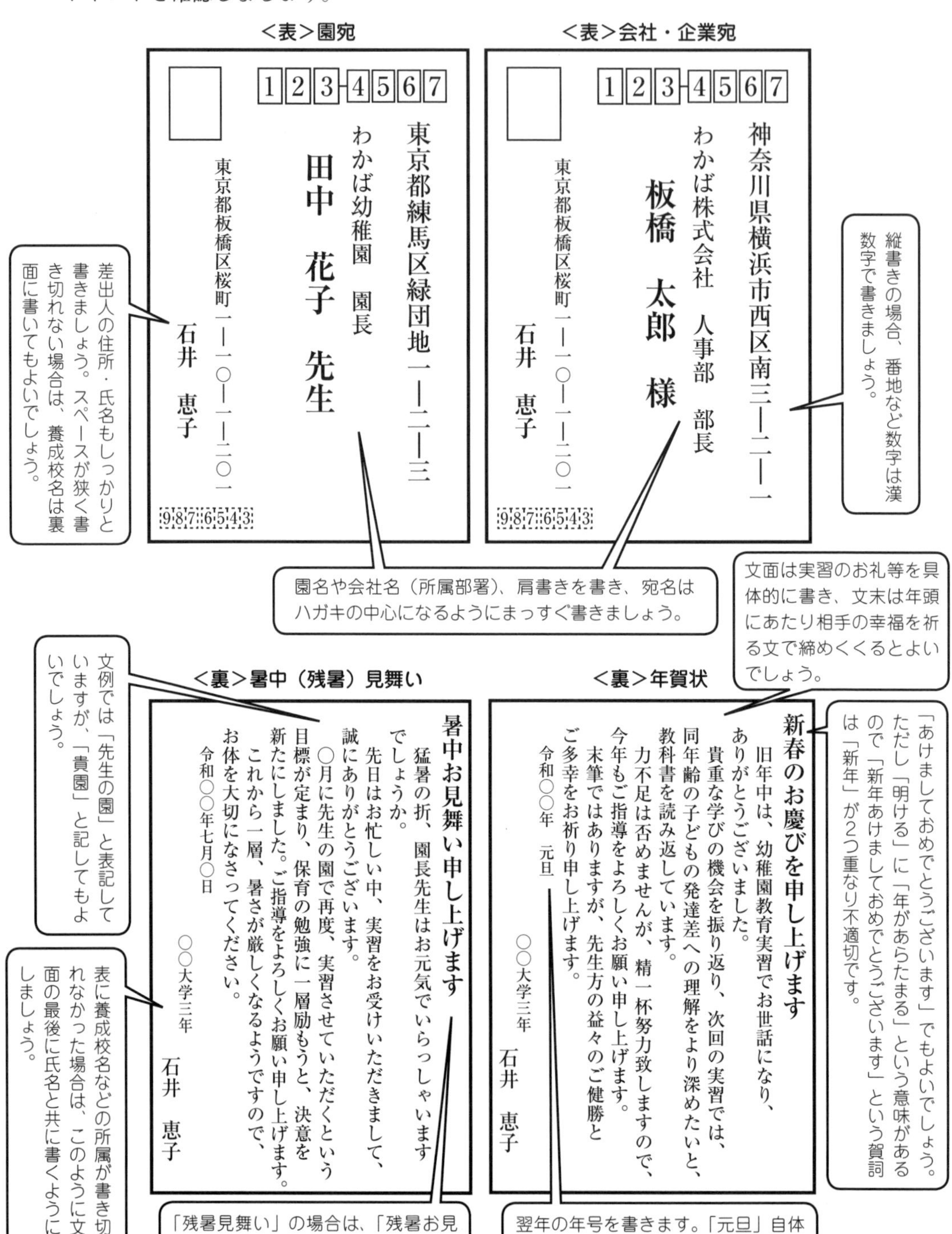

<裏>寒中見舞い

寒中お見舞い申し上げます
昨年は、幼稚園教育実習でお世話になりまして、ありがとうございました。
この貴重な学びを振り返り、次回の実習では、子どもの心に寄り添った温かい声かけを行いたいと新たに目標を立てました。
実力不足により、先生方にご迷惑をおかけすると存じますが、努力する所存ですので、今年も引き続きご指導をよろしくお願い申し上げます。
寒さ厳しき折、お体を大切にお過ごしください。
令和〇〇年一月〇日
〇〇大学三年　石井　恵子

一月七日ころ（小寒）以降の日付でハガキを出します。喪中の際の返答のハガキについては右記コラムを参照しましょう。

「寒中見舞い」では文末は相手の健康を祈る文面を入れます。「ご自愛ください」でもよいでしょう。ただし、「自愛する」には「自分の体を大切にする」の意味ですので「お体をご自愛ください」は「体」が２つ重なるので不適切です。

column　「喪中」のときは……

喪中とは親族に不幸があった際に用いられる言葉です。祖父母・父母・兄弟姉妹の不幸があった１年間は服喪期間なので年賀状は出さず、１月末日までに寒中見舞い状を出します。地域や家庭の文化によって内容は若干異なりますが、以下のようなことを見合わせる習慣があります。

- 新年の挨拶（口頭）での禁句⇒「明けましておめでとう」は言わず、「本年もよろしくお願いします」に留める。
- 年賀状の送付を控える⇒親しい人には前年 11 月までに「喪中欠礼のハガキ」を送る。喪中を知らずに年賀状を送ってきた人には寒中見舞いで喪を伝える。

手紙の書き方

封書での手紙の書き方と出し方についても見ていきましょう。社会人としてはずかしくない手紙の書き方や出し方を「実習でのお礼状」を例に確認していきます。

お礼状は多忙な中に実習受け入れの態勢を作ってくださった園長を始め、実習担当の保育者や園職員のみなさまへ感謝の気持ちを表現すると共に、今後の指導を依頼します。

実習の終了後、１週間以内に実習園の園長宛にお礼状を出すのが、保育学生としての礼儀です。怠るとあなた自身の評価が下がると共に、所属する養成校の教育に対しても疑問を持たれてしまいます。翌年からの実習に差し障りが出る可能性もあります。

POINT

白地の便箋と封筒を使おう

白地の罫線入り縦書き便箋と白地の和封筒（縦書き）を用いましょう。かわいらしいからといって、イラストなどの入ったレターセットを使用してはいけません。

筆記具は黒色またはブルーブラック色のボールペンか万年筆を使用する

送付にあたっては重さで、料金（切手）が異なりますので不足にならないよう、郵便局に持ち込んで送ることが望ましいです。養成校で料金の計算ができるようであればポスト投函でも問題はありません。

文章の配置を考える

お礼状が便箋１枚で終わらないように２～３枚程度になるようにしましょう。「本文の一部」「敬具」「年月日」「差出人名」「宛名」がすべて２枚目（もしくは３枚目）になるように文章の配置を考え、空間的な余裕を持たせましょう。バランスよく文章を配置すると文字も美しく見えます。

園に対しての意見や批判は絶対に書かない

自分自身の主観が強くならないように注意しましょう。園の保育方針に対する意見や、園児とその保護者への支援の経過をよく知らない状況での批判などは絶対に書いてはいけません。

＜文例＞実習のお礼状

「拝啓」は頭語といい、結語の「敬具」とあわせて1組みとなります。これは、「こんにちは」「さようなら」の挨拶と同じように、もっとも一般的な手紙文での始めと終わりの挨拶です。

次に実習中の具体的な事象に対するお礼の言葉を書きましょう。例文のほかに「預かり保育（遅番や早番）などさまざまな保育を体験し、充実した実習になりましたのも先生方のご配慮のお蔭と感謝申し上げます」「クラス配属が年齢順でしたので子どもたちの発達の違いが大変よくわかりました。これも先生方のご配慮のお蔭と御礼申し上げます」などの表現もあります。

最後は、日付、差出人名（養成校名など所属）、園名、園長名の順で書きましょう。

まず、実習全般についての一般的なお礼の言葉を書きましょう。

拝啓　日ごとに春めいて、参りました。

このたびは、幼稚園実習で二週間、大変お世話になりありがとうございました。

私にとって初めての幼稚園実習でしたので、最初は不安感が強く、子どもたちに接する時に表情が硬いなど、自分らしくない状況が長く続きました。しかし先生方が気持ちが安らぐような温かいお声をかけてくださったので、二週目は笑顔で子どもたちにかかわることができました。これも先生方のお蔭と感謝いたします。

園外保育の土曜保育、お別れ遠足、発表会等では、普段とは異なる子どもたちの姿を見ることができ大変勉強になりました。

反省会で先生方からいただいた、部分実習の際の子どもを集中させるという課題について、すぐに実践できる手遊びやお話前の歌のバリエーションを増やして学び、八月には子どもたちにもっと部分実習を楽しんでもらいたいと思います。

今後も保育の学びに励みたいと思います。引き続きご指導をよろしくお願い申し上げます。

敬具

令和○○年三月○日

○○大学三年　石井　恵子

わかば幼稚園　園長

田中　花子　先生

3月に手紙を出すことを想定した季節の挨拶文です。手紙を出す月やその時点の気候によって、挨拶文の型が異なります。次頁の季節の挨拶文の資料を参照しましょう。

今回の実習の反省点や次回の実習への抱負などを謙虚に記します。

就職の情報をくださるなど、何かと実習生を気にかけてくださる先生方もいらっしゃるので、今後のご指導をお願いします。

手紙は1枚で終わらないように、2～3枚程度にまとめましょう。

うれしかったこと、勉強になったことなど、思い出に残る実習中の出来事に対して記します。文例のほかにも「発表会準備では、子どもたちの努力が成果として表れたときに大変感動しました」「保育の仕事の喜びを実感しました」など、具体的に書きましょう。

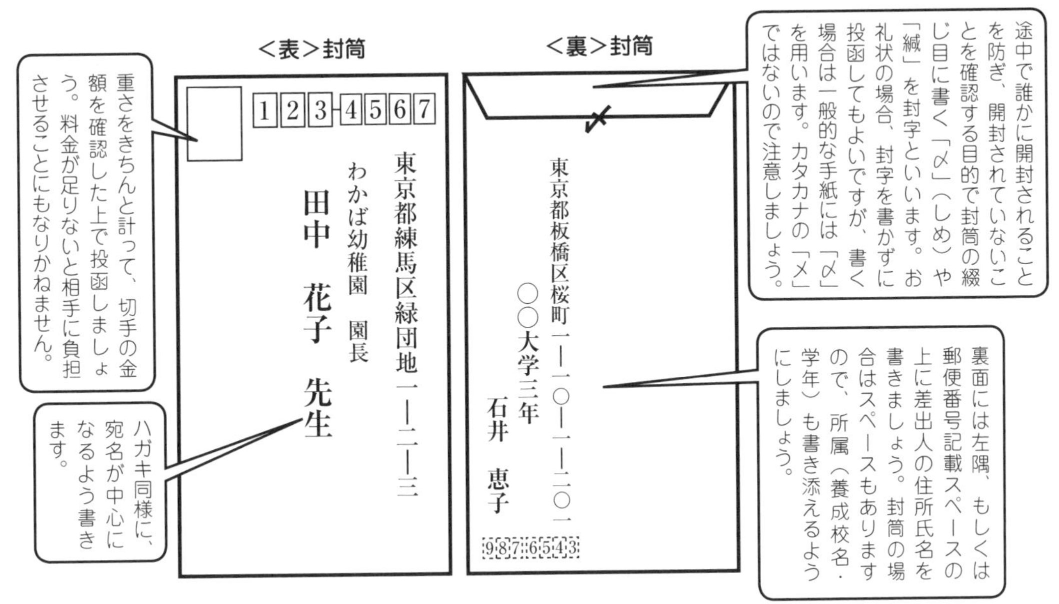

季節の挨拶文例

手紙などの冒頭には季節の挨拶文を書くのが一般的です。そのときの気候や天候に照らし合わせて、現実に沿った無理のない表現を心がけます。下記を参照しましょう。

月	時候の挨拶の文例
一月 睦月（むつき）	新春の候　初春の折　厳寒の候　酷寒の折 いよいよ寒さが厳しくなってまいりました　例年にない寒さが続いております
二月 如月（きさらぎ）	立春の候　厳寒の折　梅花の候　向春の折 節分もすぎ春の気配が感じられます　梅のつぼみが膨らんでまいりました
三月 弥生（やよい）	早春の候　春暖の折　春分の候　春寒の折 寒さもだいぶゆるんで参りました　桜の便りに心がうきたつ季節となりました
四月 卯月（うづき）	春暖の候　陽春の折　桜花の候　仲春の折 桜の花が美しい季節となりました　心和む穏やかな季節となりました
五月 皐月（さつき）	新緑の候　薫風の折　惜春の候　晩春の折 五月晴れの空がさわやかな季節となりました 新緑が目に鮮やかに感じられる毎日です
六月 水無月（みなづき）	初夏の候　梅雨の折　向暑の候　大祓の折 紫陽花が雨に濡れて鮮やかな季節となりました　夏の到来を感じる今日この頃
七月 文月（ふみづき）	盛夏の候　猛暑の折　酷暑の候　梅雨明けの折 日ごとに暑さが増してまいりました　夏本番という季節を迎えました
八月 葉月（はづき）	残暑の折　晩夏の候　立秋の折 連日の酷暑に庭の草木がしおれています　朝晩はだいぶ過ごしやすくなりました
九月 長月（ながつき）	初秋の候　秋涼の折　清涼の候　秋の彼岸の折 朝夕の風に秋の訪れを感じる季節となりました　残暑がなお続いております
十月 神無月（かんなづき）	秋冷の候　秋涼の折　紅葉の候　錦秋の折 秋晴れのさわやかな季節となりました　秋風に季節の風情を感じます
十一月 霜月（しもつき）	晩秋の候　深秋の折　向寒の候　暮秋の折 日ごとに朝夕の冷え込みが厳しくなりました　木枯らしの音に冬の訪れを感じます
十二月 師走（しわす）	師走の候　寒冷の折　初冬の候　大雪の折 初霜の便りに冬到来を感じる季節になりました 年の瀬を迎え新年の準備でお忙しいことと思います

※各月下段は旧暦の月の名称です。

履歴書の書き方

実習に行く際や就職の際に必ず書くのが履歴書です。どのような実習生がくるのか、どのような人が就職を希望しているのかなど、みなさんの第一印象を決める重要な書類

必ず、黒のペンまたはブラックブルーの万年筆などを使用して、ていねいな文字で書きましょう。書き間違えたら書き直します。基本的に修正液を使用してはいけません。

写真はスーツを着用し、背景は無地で身だしなみを整えて撮りましょう。襟のないシャツは控えるのが無難です。男性はネクタイを着用して撮りましょう。

たとえ読みやすい名前や住所でも忘れずふりがなを振りましょう。

印鑑を押す必要がある場合は、まっすぐに、かすれないように押しましょう。最後に押すと曲がったりした場合、訂正ができません。始めに押すなどするとよいでしょう。

履　歴　書　　　　年　月　日現在　　写真

ふりがな　いしい　けいこ 石井　恵子　㊞	
生年月日　19××年×月×日	※性別　女

ふりがな　とうきょうと いたばしくさくらまち 住　所　〒987—6543 東京都板橋区桜町１－10－１ わかばマンション　201号室	電話 03-1234-5678
ふりがな 連絡先　〒　（現住所以外に連絡を希望する場合）	携帯電話 090-1234-5678
メールアドレス　abcd@efg. hijk. ne. jp	

メールアドレスは相手が読み間違えないようにわかりやすく書きましょう。

書き漏れや卒業年などの間違いのないよう、確認してから書きましょう。

年	月	学歴・職歴
		学歴
平成○○	3	○○市立○○中学校　卒業
平成○○	4	○○県立△△高等学校　普通科　入学
平成○○	3	○○県立△△高等学校　普通科　卒業
令和○○	4	□□□□大学短期大学部　児童福祉学科　入学
令和○○	3	□□□□大学短期大学部　児童福祉学科　卒業見込
		職歴
		なし
		以上

「職歴」についても、「なし」と表記することを忘れないようにしましょう。また、アルバイトは職歴ではありませんので、書かないようにしましょう。

最後に終わりを示す「以上」と書きましょう。

※「性別」欄：記載は任意です。未記入とすることも可能です。

が履歴書といえます。

養成校によっては養成校指定の形式の履歴書（およびそれに類似する書類）があるところもありますが、記載しなければならない内容とポイントは共通している事柄が多いといえます。ここでは、保育所へ就職を希望する学生の一般的な履歴書の形式を示します。それぞれの項目で気を付けたいポイントをあげてありますので、しっかりと確認して履歴書を作成しましょう。

年月		免許・資格
令和〇〇	3	保育士資格　取得見込
令和〇〇	3	幼稚園教諭二種免許状　取得見込
令和〇〇	12	日本漢字能力検定３級　取得
令和〇〇	3	普通自動車第一種運転免許（ＡＴ限定）　取得

「取得見込」を忘れずに書きましょう。就職や実習で保育所に提出する場合は、「保育士資格」を先に、提出先が幼稚園であれば「幼稚園教諭」を先にするとよいでしょう。

記載する資格が正式な名称で書かれているか確認しましょう。

趣味・特技

趣味はバスケットボール（高校時代から現在までバスケットボール部に所属）と読書（主に推理小説）です。

特技は書道（初段）、手芸（学園祭の際、手作り教材展示に選出）です。

「趣味」と「特技」は分けて書きましょう。「趣味」は好きなことで上手下手は関係ありませんが、「特技」は人と比べて秀でていることです。たとえば部活動などで、入賞歴や受賞歴があるものや、段、級など習熟が公的に認められるものをあげるとよいでしょう。

長所と思われるところの反対が短所になります。そのように書くと短所も悪いところとしてとらえられにくい内容になるでしょう。

長所・短所

長所としては、何事にも粘り強く最後まで取り組む忍耐力です。長く一つの部活動を行っていることなども忍耐力を培ってくれた要因だと思っております。

短所としては、融通性のないところがあげられると思います。失敗してもなかなかあきらめることができず、こだわりすぎるところがあると思います。

志望の動機

ホームページで拝見しました貴園の保育理念である「子どもと一緒に育つ園」に、私自身の保育に対する思いと共通する部分を多く感じたため、志望させていただきました。保育者は常に子どもたちを見守り、学び続けることが本分だと考えております。それは、子どもを守るだけでなく、保育者も子どもから学び、子どもと共に育っていくことだと思っております。

私の２年間の学びを貴園で活かし、子どもたちの健やかな成長を見守りながら、先生方と子どもたちから学ばせていただき、自分自身も保育者として成長していきたいと強く思っております。

例文のように就職試験に提出する場合は、志望の動機はその園の特徴を入れながら具体的に記載しましょう。また、空白がないように欄全体を使用しましょう。

本人希望欄

特になし

自分の要望などは書かず何もない場合は「特になし」と書きましょう。ただし、食物アレルギーや持病など、事前に園に伝えておく必要がある事項はこの欄に書きましょう。

電子メールのマナー

電子メールにおける基本的なこと

電子メール（以下、メール）は便利な伝達手段であり、今では欠かせないコミュニケーションツールです。就職の際の連絡や書類のやりとりで「メールでお願いします」「書類はメール添付で送ってください」などと、先方から指定されることも多くなっています。養成校でも学生と教員とのやりとりや実習園からの連絡事項などもメールで行うこともあるでしょう。

ここでは、友達同士で行うメールとは異なる社会人としてのメールのマナーを学びましょう。メールの文面で人柄が判断されることもあります（要点がわかりづらい、日付や時間の指定を忘れている、なれなれしい等）。手軽に送れるメールだからこそ、注意が必要です。

メール作成の基本

基本的なメーラー（メールソフト）にある項目を例に作成の基本的な手順とポイントを見ていきましょう。

送受信

差出人	登録した自分の名前またはメールアドレス
宛先	メールを送る相手のメールアドレス
CC（C）...	同報者のメールアドレス
件名	個人面接をお願いいたします

件名は必ず入れ、用件または自己情報を簡潔に記載しましょう。そのほかの例として「児童学科１年の○○○○と申します」など。

CASE ①

児童学科　○○先生

挨拶　こんにちは。
誰か　児童学科１年○○番の○○と申します（件名に入れた場合は省略）。
内容　進路に関する個人的な相談にのっていただけますでしょうか。
先生のご都合のよろしい日時に研究室にうかがわせていただきたいと存じますので、ご都合をお聞かせいただけますでしょうか。お昼休みでも結構です。
補足　私の都合ばかり申し上げて失礼かと存じますが、月曜日、火曜日、木曜日は授業が５限までございます。
締め　どうぞよろしくお願い申し上げます。

児童学科１年○○○○番　○○○○

本文１行目には必ず宛名を記載しましょう。そのほかの例として、
○○大学大学児童学科職員　○○様
○○株式会社　人事課長　○○様
など。

本文の用件は簡潔に→いつ、どこで、誰が、何をどうしたいのか、はっきり伝えます。用件の前にTPOにあった挨拶文を入れるとよいでしょう。

差出人の名前を必ず入れましょう。メーラーの「署名」の機能などを使うと便利です。

CASE ②

児童学科職員　○○様

挨拶　おはようございます。
誰か　児童学科１年○○番の○○と申します（件名に入れた場合は省略）。
内容　昨夜38℃台まで発熱し、市販の解熱剤を服薬して休みましたが、今朝、検温したところまだ38℃の高熱が続いております。
今日は、通院し治療に専念したいので、欠席させていただきたいと存じます。
補足　今日９：00提出の細菌検査の検体を提出することができませんが、どのように対処したらよろしいでしょうか。
締め　ご指導をお願い申し上げます。

児童学科１年○○○○番　○○○○

POINT

cc、bccの使い方

同報メールの指定（cc）は、宛先の人にも同時に誰へメールを送ったかがわかります。同報者をbccに指定すると宛先の人には、ほかに誰にメールを送ったかがわかりません。状況に応じて使い分けましょう。

言葉づかいや文章表現上の注意

これまで書き言葉で学んできたように、メールも書き言葉の文章の一つです。社会人としてはずかしくないような言葉づかいや文章表現を心がけましょう。文例を紹介しますので参考にしましょう。

送受信

差出人	登録した自分の名前またはメールアドレス
宛先	メールを送る相手のメールアドレス
CC (C)...	同報者のメールアドレス
件名	早速のご返信ありがとうございます

CASE ①

〇〇先生

お返事ありがとうございます。
それでは〇月〇日〇曜日〇時に、先生の研究室にうかがい、
相談させていただきます。
どうぞよろしくお願いいたします。

児童学科１年〇〇〇〇番　〇〇〇〇

CASE ②

〇〇様

お返事ありがとうございます。
お知らせいただきましたとおり、細菌検査の検体は、
私個人が〇〇検査所に直接郵送いたします。
明日、〇〇検査所に検体を郵送しましたら、
学科室にうかがい報告いたします。
どうぞよろしくお願いいたします。

児童学科１年〇〇〇〇番　〇〇〇〇

POINT

話し言葉・顔文字・記号は使用しない

×思います→○存じます
×お母さんが→○母が
×(・ω・)b　×こんにちは♪など。

敬語を正しく使う

依頼のときは「～いただけますでしょうか」「～いただけませんでしょうか」と相手の都合をたずねる婉曲的な表現を使用しましょう。

日時などは必ず確認

メールで日時の指定など連絡があった場合は、必ず返信し、日時・場所など重要事項を再確認します。

メール送信する時間帯

養成校や園（会社）のメールアドレスに届いたメールを自宅のパソコンや携帯電話、スマートフォンに転送されるよう設定している養成校の教職員や社会人も多くいます。そのため、早朝や深夜にメールを送信すると、携帯電話やスマートフォンのメール着信音が就寝を妨げ、迷惑になることがあります。

そのようなことのないよう、常識的な範囲として、朝８時ころから深夜11：00ころの間にメールを送信するようにしましょう。

column　メールの長所と短所を把握しよう

メールは大変便利な通信手段です。相手がどこにいても、すぐに連絡したい内容を送ることができ、受け取った側も好きな時間にその内容について確認したり、返信したりすることができます。また添付ファイルなども送ることができるため、書類のやりとりも簡単にできるのはメールの長所といえるでしょう。しかし、相手がどのような環境でメールのやりとりをしているかわかりません。ほかの人がメールを見てしまうことも考えられますし、対面ではないため相手の様子などを知ることはできません。これらはメールの短所といえます。そのため、謝罪などの場合や緊急を要する場合にはメールは使用せず、直接出向いたり、電話をするなどして対応するようにしましょう。

オンラインによる授業や面接でのマナー

オンラインによる授業や面接

近年では、通信環境の発達により、パソコンやタブレット端末、スマートフォン等、ICT機器を活用したオンライン授業や就職面接等が多く行われるようになっています。プライベートでも、家族や友人とオンラインでのコミュニケーションの機会が増えていると思いますが、ここでは、オンラインによる授業や面接等でのマナーについて確認しましょう。

オンライン参加の基本

オンラインで授業や面接に参加する場合の基本的なマナーとして、以下のポイントを確認しましょう。これらのほかに、決められたルール（ビデオは「オン」にする等）がある場合には、事前に確認した上で出席しましょう。

POINT

通信環境を確認する

オンライン参加に耐えうる環境か、事前に通信環境を確認しましょう。

カメラの配置（角度や距離）、明るさを事前に確認する

目線の高さ、表情の見えやすさ、明るさ等を確認しましょう。また、逆光で反射することのないよう、カメラやパソコン等の配置を調整しておきましょう。

静かな環境で参加し、基本は「ミュート」にする

周囲の雑音が入らないようできるだけ静かな環境で参加しましょう。また、雑音が入り込まないように、自分のマイクは常に「ミュート」（音声を切る）にし、発言する場合のみ「ミュート」を解除しましょう。

背景の映り込みに注意する

背景に個人情報やプライバシーに関する情報が、カメラ越しに映り込むことのないようにしましょう。カメラの配置を調整できない場合には、バーチャル背景やぼかしの機能を使用しましょう。

アカウントの表示を指示に従って修正する

オンライン上での表示名を、指示に従って設定しましょう（学籍番号、学年、氏名等）。

身だしなみを整える

オンラインによるコミュニケーションであっても、身だしなみをしっかりと整えましょう。実習オリエンテーションや就職に関する面接の際には、対面と同様の服装で参加しましょう。

目線や姿勢に気を付ける

カメラに顔の正面が映るようにしましょう。また、オンラインでは表情以外の非言語的な表現は伝わりません。そのため、相手の発言に対してしっかりとうなずくようにしましょう。

ゆっくりとはっきりと話す

通信環境やマイクの性能によって、声が聞こえにくい場合や、音声が数秒遅れて届いたりする場合があります。相手の反応を確かめながら、通常よりもゆっくりとはっきり話すようにしましょう。

絵文字によるリアクションを多用しない

指示があった場合には、絵文字によるリアクションを行いますが、SNS の感覚でリアクションのボタンを多用することは控えましょう。

本書参考文献

（著者五十音順）

・秋田喜代美、三宅茂夫監修『シリーズ 知のゆりかご 子どもの姿からはじめる領域・健康』みらい、2020
・阿部和子、増田まゆみ、小櫃智子『最新保育講座 13　保育実習』ミネルヴァ書房、2009
・荒木晶子、向後千春、筒井洋一『自己表現力の教室』情報センター出版局、2009
・石橋裕子、林幸範編『知りたいときにすぐわかる　幼稚園・保育所・児童福祉施設実習ガイド』同文書院、2011
・井上ひさし『自家製文章読本』新潮社、1987
・園長のあいさつ研究会『園長のあいさつ』わかば社、2013
・大場幸夫講義『保育臨床論特講』萌文書林、2012
・小櫃智子、守巧、佐藤恵、小山朝子『幼稚園・保育所・認定こども園実習　パーフェクトガイド』わかば社、2017
・公益財団法人日本学校保健会ホームページ「学校保健ポータルサイト」「学校等欠席者・感染症情報システムの概要について」2020
・厚生労働省「保育所における感染症対策ガイドライン（2018 年改訂版）」2021（一部改訂）
・小舘静枝、小林育子他『改訂施設実習マニュアル』萌文書林、2006
・小林育子、長島和代、権藤眞織、小櫃智子『幼稚園・保育所・施設実習ワーク』萌文書林、2005
・斎藤孝『斎藤孝の実践！　日本語ドリル』宝島社、2003
・澤智子監修『片づけ＆そうじのきほん』日本文芸社、2009
・塩谷香監修『保育者のマナーと常識』少年写真新聞社、2013
・生活技術教育研究会編『保育・福祉専門職をめざす学習の基礎』ななみ書房、2009
・相馬和子、中田カヨ子編『実習日誌の書き方』萌文書林、2011
・高橋喩『正しいはしの持ち方、えんぴつの持ち方れんしゅうちょう』小学館、2011
・田上貞一郎『保育者になるための国語表現』萌文書林、2010
・千羽喜代子、長山篤子、帆足暁子、永田陽子、青木泰子『思いやりが育つ保育実践』萌文書林、2005
・東京家政大学教育・保育実習のデザイン研究会『教育・保育実習のデザイン：実感を伴う実習の学び＜第２版＞』萌文書林、2019
・長島和代編、石丸るみ、亀崎美沙子、木内英実『改訂２版　これだけは知っておきたい　わかる・書ける・使える　保育の基本用語』わかば社、2021
・日本語検定委員会編『ステップアップ　日本語講座　中級』東京書籍、2010
・林幸範、石橋裕子編『最新　保育園幼稚園の実習完全マニュアル』成美堂出版、2012
・原田留美『保育学生のための実践国語表現』おうふう、2008
・開仁志編著『実習日誌の書き方―幼稚園・保育所・施設実習完全対応』一藝社、2012
・松本峰雄監修『U-CAN の保育実習これだけナビ』自由国民社、2010
・三森ゆりか『絵本で育てる情報分析力』一声社、2002
・谷田貝公昭、上野通子編『これだけは身につけたい保育者の常識 67』一藝社、2012
・吉田眞理『生活事例からはじめる保育実習』青踏社、2012
・ワンダー事業部『ワンダーえほん』世界文化社、2022 年４月号ほか

著者紹介

※執筆担当は、もくじ内に記載

長島 和代（ながしま かずよ）　元小田原女子短期大学（現：小田原短期大学）教授

大正大学文学部社会学科社会事業専攻卒業、明治学院大学大学院文学研究科社会福祉学専攻修了（社会学修士）、大正大学助手、なごみ保育園園長、横浜国際福祉専門学校児童福祉学科長、野川南台保育園園長、小田原女子短期大学教授・学科長、ほうあんふじ施設長、学校法人弘徳学園豊岡短期大学通信教育部非常勤講師を経て、時宗真光寺勤務。2022 年 4 月に他界。

主な著書：『幼稚園・保育所・施設実習ワーク』（共著、萌文書林）、『今に生きる保育者論』（共著、みらい）、『最新保育講座保育実習』（共著、ミネルヴァ書房）、『日常の保育を基盤とした子育て支援―子どもの最善の利益を護るために』（共著、萌文書林）、他多数。

著者　（※著者五十音）

石丸 るみ（いしまる るみ）　大阪総合保育大学　准教授

白梅学園大学大学院子ども学研究科子ども学専攻修士課程修了、東京都公立保育所保育士、こころの保育園文京西方保育園園長、東京保育専門学校専任教員、十文字学園女子大学非常勤講師等を経て、現職。日本環境協会エコマーク乳幼児用品基準策定委員。

主な著書：『先生ママみたい』（共著、萌文書林）、『日常の保育を基盤とした子育て支援―子どもの最善の利益を護るために』（共著、萌文書林）、『保育専科―指導計画と指導の実際』（フレーベル館）、『今、この子は何を感じている？―0歳児の育ちを支える視点』（共著、ひかりのくに）、他。

亀﨑 美沙子（かめざき みさこ）　十文字学園女子大学　准教授

神戸大学大学院人間発達環境学研究科修了（教育学博士）。東京都江東区子ども家庭支援センター非常勤職員、東京家政大学家政学部助教、松山東雲短期大学講師を経て、現職。

主な著書：『子育て支援における保育者の葛藤と専門職倫理―「子どもの最善の利益」を保障するしくみの構築にむけて』（単著、明石書店）、『保育の専門性を生かした子育て支援―子どもの最善の利益をめざして』（単著、わかば社）、『最新保育士養成講座第 10 巻 子ども家庭支援―家庭支援と子育て支援』（共著、全国社会福祉協議会）、『よくわかる家庭支援論（第2版）』（共著、ミネルヴァ書房）、他。

木内 英実（きうち ひでみ）　駒沢女子大学　教授

日本女子大学大学院文学研究科日本文学専攻博士課程後期修了、日本大学国際関係学部副手、小田原女子短期大学准教授、東京都市大学准教授を経て、現職。博士（文学）。

主な著書：『神仏に抱かれた作家・中勘助―印度哲学からのまなざし』（単著、三弥井書店）、『伸び支度』（共著、おうふう）、『小説の中の先生』（共著、おうふう）、『私と私たちの物語を生きる子ども』（共著、フレーベル館）、他。

執筆協力者　二宮祐子（「気になる子どもへの対応」執筆）

● 本文イラスト　山岸　史
● 装　丁　タナカアン

改訂２版　これだけは知っておきたい

わかる・話せる・使える　**保育のマナーと言葉**

2014 年 1 月 12 日　初版発行
2017 年 12 月 18 日　改訂版発行
2021 年 11 月 30 日　改訂 2 版発行
2024 年 3 月 3 日　改訂 2 版 3 刷発行

編　者　長島和代
発行者　川口直子
発行所　（株）わかば社
〒173-0004　東京都板橋区板橋 2-46-12
tel(03)6905-6880 fax(03)6905-6812
(URL)https://www.wakabasya.com
(e-mail)info@wakabasya.com
印刷／製本　シナノ印刷（株）

ISBN 978-4-907270-35-3 C3037